Ultimate Book of

Super Sudoku

igloo

This edition is published by Igloo Books Ltd

Cottage Farm, Mears Ashby Road, Sywell, Northants, NN6 0BJ

First published in 2006

Puzzle compilation, typesetting and design by:
Puzzle Press Ltd, http://www.puzzlepress.co.uk

Printed in China

ISBN 1-84561-482-8

Contents

How to Solve a Sudoku Puzzle

No knowledge of maths is required to solve a sudoku puzzle: all you need is a logical mind! The standard grid consists of 81 squares, formed into nine rows and nine columns, as well as nine boxes (each of nine squares):

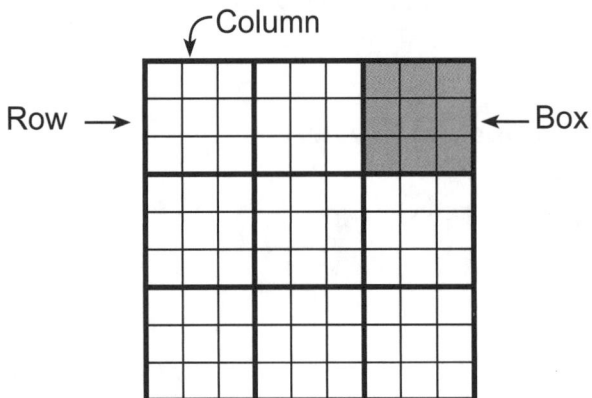

The object is to fill every row, every column and each box with nine different digits, as in this example, where the second row is shown containing nine different numbers, the third column is shown containing nine different numbers, and there are nine different numbers in the centremost box:

The skill in solving a sudoku comes from determining where other numbers fit. At the start of each puzzle, a grid is presented in which some numbers are already placed. In this example, the number 1 in the top left box can only be in one place: it can't be in the central row of the box, as there is a 1 already in the second row, nor can it be in the first or second columns of the box, as there are 1s already in the first and second columns:

So the 1 is in the third column and third row of the box:

Cross-referencing Techniques

Occasionally, you may reach a point where it seems that no solution is achievable. Try to eliminate certain possibilities for numbers by looking carefully for clues.

In this example, there seems to be no way of knowing where the possibilities for certain numbers lie. For instance, look at the box which is lowest and furthest right. There are numbers in all four corners and the central row has three blank squares, none of which contain a 3 or a 4 (there is already a 3 and a 4 in row 8), so the central box at the top and the central box at the bottom are the locations of the 3 and the 4. This will give you a vital piece of information: there is no other 3 or 4 in rows one to six of the eighth column.

9	7				4			
		7				1		
5	6		8					
				1		9		
8			6					2
	7	3						
			2				5	8
	3			4				
	2						7	6

You will also find it useful to pencil in possibilities, eliminating them as you go, as in this example, where we've shown the positions of the 3 and the 4 in the eighth column, from the puzzle above. By pencilling in the possibilities, it can be seen that the number in the eighth column of the eighth row is 2. With a 1 and a 9 the only possibilities in the seventh and ninth columns of the eighth row, you could now go on to cross out the potential for 1 or 9 to appear in any other square in the eighth row. Next look at the lowest left box: you should be able to see the only two possible squares in which the 5 and 8 can be placed… and so you would continue to eliminate the alternatives in this way.

9	128	7	1256	135	2356	4	2568	35
234	248	348	7	3459	23569	23689	1	359
5	124	6	1249	8	239	239	27	379
2346	2456	345	2458	457	1	368	9	3457
8	1459	13459	459	6	579	13	57	2
1246	7	1459	3	459	2589	168	568	145
1467	1469	149	169	2	3679	5	34	8
167	3	4589	15689	1579	4	19	2	19
14	14589	2	1589	1359	3589	7	34	6

Like a game of chess, you can't see all the moves ahead and sometimes you will need to pencil in a few alternatives in order to be sure whether a number will fit and not cause problems later. For this reason we include spare grids beneath the most difficult puzzles – if you go wrong, you can have another try! If you can't solve a particular puzzle, put it to one side and come back to it later. Often a short break away will clear the mind and on returning to a puzzle, you may be surprised that the solution (or at least part of it) is clear.

Above all, don't forget that these puzzles are fun: there is no time limit and whilst some puzzles will seem easier than others, your skills will increase as you work through the book. The puzzles begin with a Warm-up section to increase your confidence at solving, but we're sure that by the time you reach the end of the book, you'll be an expert! Have fun…

No 1

5				9		4	7	
				1	6	3		9
1	8					6	2	
	6		2			5		
3	4		7		8		9	2
		1			9		4	
	5	3					1	8
2		7	6	8				
	9	4		7				3

No 2

6				3	2	5		
	7				1	3		9
9	8		6				2	
4	9	8	1	7				
5								6
				9	3	1	4	8
	4				5		1	2
3		6	7				9	
		7	2	8				4

No 3

	9	4	1	5		7		
2					8	9	3	
					3			4
	7	3			4	1	2	
6				1				7
	8	1	9			3	5	
9			5					
	4	8	6					5
		5		7	2	6	9	

No 4

2	6	8				7	9	3
		7	8	6		5		
	9		2				1	
	2		4			6		
7			9		3			8
		5			1		7	
	4				5		3	
		9		4	2	1		
3	7	2				4	8	5

No 5

	4					8		6
	3	2		4			9	1
			1	5	7			
2	8	7			6	4		
6			7		1			3
		9	4			5	6	7
			2	1	3			
1	7			6		9	4	
8		6					3	

No 6

	9	4	5	7				8
3	6		9				5	
			6			3		4
	4		2			1		3
		8	3		9	6		
2		1			8		7	
8		7			2			
	1				5		2	9
9				4	6	5	1	

No 7

		2	6	9				
9						8	4	7
	5	1	8				6	
6			2	8		4		1
		9	4		5	7		
2		5		3	1			8
	6				7	5	3	
3	2	7						9
				1	8	2		

No 8

4		5	3				6	
		2	6					1
	3	6		2	7		8	
7	6			4		5		
9			5		1			4
		8		9			1	3
	5		1	7		3	9	
3					4	7		
	8				5	1		2

No 9

			1					9
	9	6		3	4	1		
1			6			2	8	
	1	7	9			5	2	
3				5				6
	4	5			8	7	3	
	7	9			2			4
		3	5	1		8	9	
8					7			

No 10

		2			7	1		
1	7	4				6	2	9
5				1	9			3
		6			5			7
	4		3		2		6	
8			1			9		
7			4	8				6
6	2	3				8	9	4
		5	9			3		

No 11

			7			9		
8	7	2		5		6		
				8	6	4		
5	4		8		9		7	2
	2	1				8	3	
7	6		1		3		4	9
		4	6	3				
		7		9		2	6	1
		5			1			

No 12

	6			5	1		8	7
		4	7					5
	7		8			2		3
3				2		1	7	
		2	3		4	9		
	4	8		9				6
4		5			3		6	
1					2	8		
8	9		4	1			3	

No 13

		9		8		4		
4			2		5			1
1	6		3		4		7	8
		7	9	4	2	8		
3	4						2	5
		2	8	5	3	7		
2	5		7		6		8	9
9			4		8			2
		6		2		1		

No 14

	3			7	6		4	8
9	5		4			3		
		8	3					
5	2		8				1	3
		4		2		7		
7	1				9		2	6
					1	9		
		6			5		8	1
8	9		2	3			7	

12

No 15

2		3		9			4	1
	8	6						9
			3	5	7			
6	5	7	9				2	
		1	7		3	6		
	9				6	4	7	8
			4	3	1			
1						8	6	
9	2			6		3		7

No 16

3		5			6		1	
	2	7	5	4			6	
		4			8			7
7	5			2		1		
8			6		5			2
		6		8			9	4
5			9			3		
	1			3	4	9	7	
	9		7			6		8

13

No 17

9		3					8	1
	6	2	5	8				
7		4		2			3	
		1			7			4
4	3		2		8		6	7
5			6			9		
	9			7		4		2
				1	5	3	7	
8	1					5		6

No 18

9	8			7		3		
1			6	3			5	7
					4	8	6	2
			3	9		2		
	5	9				1	3	
		2		5	7			
8	6	5	1					
4	3			6	2			9
		7		8			4	1

No 19

		9	1		6	8		
	5			9			2	
1		8	2		3	9		7
	1		9	6	8		3	
9		7				4		6
	3		4	7	1		9	
3		1	6		4	5		2
	6			1			8	
		5	7		9	6		

No 20

1			9		8		5	
2	3			1	5			
	8				2		4	7
		5	7	8		3		
	1	3				6	7	
		4		3	1	8		
4	7		1				9	
			8	4			3	1
	9		6		7			2

No 21

	1	3		5	9	7		
			2				8	
7		6		1		9		4
9			5			6	7	8
3								1
5	6	2			7			9
6		8		3		4		5
	5				1			
		4	8	6		2	9	

No 22

	7					2		3
	8	9		7			6	5
			4	1	5			
9	2	4	3			7		
3			5		4			8
		6			7	1	3	4
			8	5	9			
5	4			3		6	7	
2		3					8	

No 23

4					5			
		7	8	3		6		1
	2	8		1		9	7	
	8		7			5	3	9
	1						6	
7	4	9			3		8	
	3	2		6		4	9	
8		5		9	4	2		
			1					3

No 24

5		8		3		2		4
	9		7		8		5	
		7		4		8		
4		6	8		2	7		9
	8		3		9		4	
3		9	6		4	1		8
		1		9		3		
	2		4		7		1	
9		5		6		4		2

No 25

1		9	5	4				2
7	6	4			3			
	8			7		1		3
				2	9		5	
	2	6				9	3	
	5		8	6				
2		7		8			9	
			1			4	7	5
3				9	4	6		8

No 26

		3		5	2	7		
	8				1		9	
4	9	7				2	5	1
	7		8			3		
2			4		9			7
		5			6		1	
3	2	6				1	7	4
	4		3				6	
		8	1	6		9		

No 27

1					5			9
		4		9	2	6		
3	5	9				2	1	8
		7	9					2
	3		6		1		8	
8					4	5		
6	1	8				3	2	7
		5	3	7		8		
4			2					6

No 28

		4	5	7			2	8
9		5						1
		7	6		4	3		
				8	6		4	7
	3		4		1		6	
4	9		2	5				
		3	9		2	1		
8						2		9
6	2			3	8	7		

No 29

		5		4	9		6	
8		3	5					9
1					2	3	4	
				3	4	8	2	7
		6				5		
3	8	7	2	1				
	5	4	1					3
7					6	9		2
	1		9	8		7		

No 30

		9			5			
6	2				7	5		
	5		4	3			7	9
3	8		6				1	4
		7		1		3		
2	1				9		8	5
9	6			5	1		3	
		4	2				9	8
			8			6		

No 31

4	8		2			9		
9				6	1		7	2
		7	9					
3	6				8		1	5
		2		5		6		
5	4		7				9	3
					3	8		
8	7		5	9				6
		1			4		3	7

No 32

4				5	1			2
1	9	7				6	3	5
	5				6		7	
	1		5					8
		9	4		7	3		
6					2		9	
	4		1				2	
3	8	1				7	4	9
9			3	8				6

No 33

	1	5		9	4		6	
3		8	1				5	
		9	5					7
		6		2			7	1
2			8		7			3
4	5			3		8		
1					3	4		
	6				8	7		9
	8		7	4		1	2	

No 34

3					5		9	6
5	6	1	9					
	2			8	4	3		
4				7		2	6	
1			8		2			4
	3	5		6				7
		7	3	2			1	
					6	4	7	3
9	5		7					8

No 35

	4		5			8		
8		5	9			6		3
3			4	2	8			7
	6		7			4		
2		7				9		1
		8			5		2	
5			8	1	7			9
9		1			6	3		4
		2			9		7	

No 36

			9				3	
6		3		4		7		1
5	2			7	1			6
		2	8			3	7	5
		9				4		
7	8	1			3	2		
8			2	3			9	4
2		6		9		8		7
	1				5			

No 37

			1	6	4			2
			7		8			5
2	1	7		3				8
	2		6		7	5		
9	3						6	7
		4	5		3		2	
8				5		9	1	4
3			4		9			
4			2	8	1			

No 38

		4		8			6	
6			2		5	9		
9			3		1	5		7
1					6	8	7	
7				1				2
	3	5	9					4
2		6	1		3			8
		3	4		7			6
	9			2		7		

No 39

	2			1			5	
1		7	2		6	9		8
8			3		4			2
	7		6	3	1		4	
3		4				2		6
	1		4	2	5		7	
4			1		2			5
5		1	9		7	3		4
	8			4			9	

No 40

	5		3					
9				2	8		6	1
8		2		7		5		9
		6			5	8	4	2
		7				3		
1	2	5	4			6		
2		4		3		9		6
7	3		6	5				4
					1		8	

25

No 41

	4	3		6	7			8
		1				9		7
2			8		5			6
				7	4	8	9	
	5		1		8		2	
	8	6	5	3				
1			4		9			2
4		9				3		
6			3	2		5	4	

No 42

	4			5		9		3
2	8					4		6
				8	7	5	1	
		6			1			7
3	1		8		5		4	9
9			3			2		
	3	4	7	2				
1		7					2	8
5		9		3			6	

No 43

		6	8					
		9		4	1			
		1		2		5	8	4
5	8		4		6		9	2
	7	4				3	5	
6	9		3		7		1	8
3	1	5		6		8		
			1	7		9		
					3	2		

No 44

		4		8		6		
	6		7		3		9	
1	9		5		6		8	2
		7	8	3	5	2		
6	5						3	7
		2	4	6	7	8		
3	7		2		1		4	8
	4		6		8		7	
		1		7		9		

No 45

	6			1	7			3
		7	3			9		2
2	1				4	8		
			4	8		2	9	5
3								6
9	4	5		2	1			
		2	8				3	1
7		4			6	5		
5			7	9			8	

No 46

				8	1	9		
			5			7		
8	5	2		3		1		
3	9		8		7		5	2
	2	4				8	6	
5	1		4		6		9	7
		5		7		2	1	4
		3			4			
		9	1	6				

No 47

		9		1	3		2	4
	2				4	9	5	
7		6			5			
2		5			6		7	
6			8		9			3
	1		5			8		2
			3			1		8
	3	8	9				4	
1	9		4	7		6		

No 48

					7	5	4	6
4	7		6					8
		8	2	1			9	
3				4		6	8	
2			9		1			5
	4	9		3				2
	5			9	8	3		
1					3		6	7
8	3	2	4					

No 49

		2	4		3	1		
		5		1	7		3	6
4		3						7
5	9			7	6			
	6		9		2		1	
			3	8			4	9
2						8		4
7	3		8	5		9		
		1	6		9	5		

No 50

	7	5	3			1		
3		1	8	6			7	
			5				2	9
1	4				5	6		
8			7		4			2
		9	2				5	1
4	6				8			
	2			9	3	7		6
		3			7	8	4	

No 51

	7	4		5		3	8	
		6		8		9		
9			4		1			7
	8	1	2		7	5	4	
4			6		8			2
	2	9	5		4	8	6	
3			1		2			8
		2		4		1		
	4	7		6		2	3	

No 52

	8		6	2	3		5	
3					9	6		
	6	9			1	7	8	
7					5	3		
	2	5				1	4	
		6	9					2
	1	4	7			8	3	
		2	1					5
	9		5	4	6		1	

No 53

		4		2		8	1	5
		6	1		4			
		8	5	7	3			
8			6		2		3	
7		1				9		2
	6		7		1			8
			8	4	5	3		
			3		9	2		
5	9	3		6		4		

No 54

	7		3					
		3		8	2	5		7
1		9	5				3	
9		6	7			4		3
	5			6			8	
8		4			1	6		2
	2				9	7		4
7		1	6	3		8		
					4		1	

No 55

5		7	1		6	2		4
	9			4			1	
1			3		8			5
	2		8	1	9		4	
6		1				8		3
	8		6	3	4		2	
9			4		1			8
	7			8			5	
8		3	7		2	4		9

No 56

	1		2		8			3
	4		6		3		7	1
8				7		5		
	2		5			3		9
	7			6			8	
4		8			1		6	
		1		4				2
9	8		3		6		5	
5			7		9		1	

No 57

			4				6	
4	3	2		1			5	
				9	2		7	
1		7	9		4	2		5
	8	9				3	4	
3		5	1		8	7		6
	7		2	8				
	2			6		5	3	8
	1				5			

No 58

8				4	2		7	
		2	7			1	6	
4	6				3	5		
			3	5		6	9	1
	7						8	
3	1	9		6	4			
		6	5				4	7
	2	3			8	9		
	9		2	1				5

No 59

7			8				6	
6		5		7	4	1		
4	2		1			3		
	6	4		5				3
	8		4		1		5	
1				8		9	7	
		9			6		8	1
		3	7	2		6		9
	4				9			2

No 60

3	7			4		1		6
			2	1	9			
9						5	4	
4	8	6	3				7	
		9	6		1	4		
	3				4	2	6	5
	5	4						3
			1	8	6			
7		1		3			2	9

No 61

2	6	9				3	7	4
3			9					6
	1		7	6			8	
4			1				9	
		2	3		8	4		
	5				6			7
	9			5	2		4	
1					7			8
8	4	3				7	2	5

No 62

	4			5	6	7	9	
	7		9			1		2
8			7			5		
9	8			3		4		
2			1		8			3
		1		2			7	6
		6			2			9
5		8			1		4	
	3	9	8	6			1	

No 63

2			5	6				9
6	7	3				8	4	5
	8		3				6	
	4		2					3
		7	8		9	4		
1					6		5	
	2				5		9	
4	9	8				5	1	7
3				1	7			4

No 64

5				6	4			
7			1					
3				9		1	4	2
	4	3	6		1	9	5	
1	2						6	8
	5	7	9		8	2	3	
2	3	8		7				4
					3			9
			4	8				5

37

No 65

		2	4		9	3		
	1	3	5		2	8	7	
6				8				2
7			6	2	4			8
	2	5				9	4	
4			8	9	5			7
1				4				3
	9	4	7		1	6	8	
		6	2		8	4		

No 66

	7	3				9		
	4		7	6		8		1
	6		2		4		5	
				8	2	6		4
5			4		9			2
3		4	1	7				
	5		3		1		9	
1		2		5	8		6	
		8				3	1	

No 67

		2	3			4		5
3	4	8					1	
			6	7				8
5	8		7	4			6	
1			5		9			3
	2			6	8		7	9
8				1	2			
	1					9	3	6
7		5			6	2		

No 68

3				4	6	1		
			5			3	6	9
	8	2			3		7	
2		6		5			3	
	1		4		7		9	
	9			3		5		4
	6		2			8	5	
1	2	5			8			
		4	9	7				6

No 69

		3	2	4			6	7
		8	7		5	4		
	5	7					2	
				9	7		1	5
6			8		1			4
1	3		6	2				
	8					9	5	
		4	1		6	3		
7	2			3	9	1		

No 70

	4		6	1				5
					3	9	2	8
3		8	9			4		
		7		8			9	4
		6	5		1	2		
8	5			7		6		
		1			7	3		9
7	6	4	8					
2				5	4		7	

No 71

7				2		9	5	3
8					5			
6			7	9				
	5	3	8		9	2	6	
9	4						3	1
	6	8	4		1	5	7	
				4	7			6
			1					2
3	7	1		8				5

No 72

2		8	3		4	5		1
	9			1			4	
1			7		8			2
	3		8	5	6		1	
5		1				7		6
	8		2	7	1		3	
9			1		5			7
	7			8			2	
8		3	6		7	4		9

No 73

2			6	9		4		
	3		4				7	1
4	6	8			5			
5		9		4			8	
	8		3		9		2	
	4			5		1		6
			7			2	1	5
7	5				1		6	
		6		3	8			9

No 74

	8	9	4	6		5		
2	1				9	8		
	6				8			3
4		8		2			1	
7			3		1			2
	5			7		3		9
9			2				4	
		5	1				3	6
		1		4	3	7	9	

No 75

		7	4			9		
1	4	5				7	2	6
6			1	5				8
8					9	6		
	6		7		2		1	
		4	3					5
7				3	4			9
4	2	6				1	8	3
		3			8	2		

No 76

		2			1	8	5	
	6		4		2	9		
	1	3		6	9			
9			5	2				3
3		6				5		7
8				3	6			2
			2	8		3	6	
		4	7		5		1	
	8	5	6			4		

43

No 77

	7	6		3				2
	9	2					1	4
8		3		4	5			
		1	7				6	
2	6		4		3		7	8
	5				8	9		
			5	1		2		7
1	4					5	8	
9				7		6	3	

No 78

9	6		2					3
	2			8	3	5		
1					4	8	6	
6	7	9	4	1				
	5						2	
				6	8	4	9	7
	8	2	1					6
		1	3	9			7	
7					5		3	4

No 79

		5		7		1		
4		7	1			8		3
	3	1			6	9	7	
6	1			5	2			
	4						8	
			4	3			9	1
	2	4	8			7	6	
5		9			7	3		2
		6		9		5		

No 80

		4			6		2	
8			9	2			6	3
6					3	5	1	
	1			5		9		6
		5	4		1	7		
4		3		7			8	
	4	2	1					8
7	3			9	4			1
	9		5			3		

No 81

	1		4		5		6	
		3		2		1		
6		5		9		8		2
7		1	5		9	2		3
	5		2		3		7	
2		4	6		7	9		5
5		6		3		7		8
		7		5		4		
	8		7		4		2	

No 82

					3		9	
	4				6	2		3
2		9	1	5		7		
7		3			9	1		4
	8			1			7	
6		1	2			3		5
		5		7	4	8		2
9		6	8				5	
	2		5					

No 83

			5	9	1			
6	7			3		1		2
3						8	4	
4	5	7	8				3	
		8	1		5	6		
	2				3	5	9	8
	8	4						6
5		1		8			2	3
			6	1	7			

No 84

2		6		5	9	1		
			7					4
	4	1		8		9	5	
3	9	5			4		2	
	7						8	
	2		3			6	4	5
	1	2		7		5	3	
9					6			
		3	2	4		8		7

No 85

	8	7		2	1			
	4		5		9	6		
		6			8	5	2	
1			8	7				2
9		5				8		7
7				1	5			3
	5	2	4			1		
		3	1		6		8	
			3	8		7	4	

No 86

	6				9			
8		2		7		5		6
		5	2	8		4	3	
3			6			8	1	2
7								9
6	8	4			1			3
	9	7		6	3	1		
1		8		9		3		5
			4				2	

No 87

9				2				5
4	3			1			2	8
		5	4		6	3		
5	7		1		4		9	2
		4	9		2	7		
6	2		7		3		4	1
		8	6		7	2		
3	4			9			8	7
7				4				6

No 88

3				6	7	5	9	
7		1				8		
6			3		4			2
	1	3		7	9			
	2		8		3		4	
			4	5		6	3	
2			9		1			8
		5				1		9
	9	4	5	2				6

No 89

	2		9	4				
	5				7			
	3			1		7	6	9
9		3	7		4	1		2
6	7						8	4
2		5	8		1	6		3
3	6	8		5			9	
			3				1	
				8	9		2	

No 90

4			7	9			8	3
		8			1		9	
5					4	6	7	
	5			3		8		7
		3	4		7	1		
2		9		1			4	
	4	1	8					2
	6		2			7		
8	2			6	9			5

No 91

5		1		3		2	8	
		3					4	9
			7	6	8			
2					3	4	7	6
	4		8		7		1	
7	5	9	4					3
			1	8	5			
4	9					1		
	8	7		4		3		2

No 92

	1	8		6	2		7	
			5			4		
7	3			8			2	9
6	5	3			7			2
1								8
2			6			7	3	4
3	4			1			9	6
		6			8			
	9		4	3		2	5	

No 93

4		2						1
		3		6	2		8	9
		6	3		5	7		
			5	9			3	6
	7		1		3		5	
3	4			2	8			
		7	8		4	1		
5	8		9	7		6		
9						8		4

No 94

2	5	6				4	8	3
8			4					6
	1		5	8			9	
	4		9					2
		2	6		1	3		
5					8		7	
	2			7	3		4	
1					5			9
7	3	5				6	2	1

No 95

	6				5	2		4
	8		7	9		6	5	
3					6	9		
5	3			1		8		
4			3		2			1
		2		4			6	7
		7	4					5
	1	5		7	3		2	
9		3	2				8	

No 96

6			7	8				4
4	5	2				1	8	7
	3		1				5	
8			9				1	
		7	5		2	4		
	4				3			6
	2				6		9	
9	7	6				2	4	1
3				9	1			5

No 97

	3	4		6				9
	2	9					1	8
7		6		8	5			
	5				7	2		
9	4		8		6		3	7
		1	3				4	
			5	1		9		3
1	8					5	7	
2				3		4	6	

No 98

6					8	5	1	
		4		1	7		2	
3		5	4					7
5	3	9	8	6				
		2				4		
				5	1	3	8	9
9					2	7		8
	6		7	3		9		
	4	1	6					5

No 99

	9	6		7		1		4
			3	9	2			
7	8					2		
6	3	8			7			1
	7		6		9		2	
4			1			7	6	5
		1					7	8
			9	5	6			
3		2		1		4	9	

No 100

	6					5	2	4
5			9	7				
8		2	4			1		
	9		7	2			5	8
4			8		3			6
3	7			9	5		1	
		1			9	8		7
				6	1			5
9	4	3					6	

No 101

	2	9			5		3	
		3	9	1				8
	6		8			7		4
2	3	1		6	7			
		4				5		
			2	8		3	6	1
7		6			2		8	
5				7	9	4		
	9		4			6	1	

No 102

			4		1			7
4	1	5		6				8
			3	8	5			4
	6		9		2	3		
2		9				7		1
		3	6		7		4	
3			5	9	4			
8				7		5	2	3
6			2		8			

No 103

		4	2	9		1	5	
8					5		9	
		5			1		6	3
	6			3		5		2
3			8		6			7
1		8		7			4	
9	8		6			4		
	2		3					1
	1	7		2	8	6		

No 104

	4		1	8	7			
	8			3		9	4	1
	2		9		4			
		4	2		3			7
2	9						5	6
7			5		6	3		
			8		5		3	
1	7	5		2			8	
			4	6	1		7	

No 105

2	9	8			1			
	4	6	9	3		5		
3				6		7	2	
8			3	7				
5	3						4	7
				4	6			8
	1	5		2				6
		7		9	8	1	3	
			5			2	9	4

No 106

1					4	9		
4	8		2	1			5	
7		6			8		4	
	4	2		6				7
		3	9		7	6		
5				3		8	9	
	5		7			1		9
	7			2	9		3	8
		8	6					2

58

No 107

			7	8		3		5
1				5		9	4	
8	6					7	2	
		8	5				9	
3	9		6		4		5	2
	7				2	1		
	1	3					8	6
	5	9		4				3
2		4		6	7			

No 108

3			2		5			7
	7			4			6	
	9	4		8		3	5	
	4	6	5		8	1	7	
1			4		6			5
	8	5	3		1	4	2	
	1	9		6		5	3	
	2			5			1	
4			1		2			9

No 109

	5		6				2	4
6	9	2				1		
			7	3				9
		5		7	9	3		8
1			4		8			6
4		9	3	2		7		
9				1	5			
		1				6	8	7
3	4				7		5	

No 110

		9			1			
1	4				7	6		
	5		3	2			9	4
6	3				9		1	5
		5		3		8		
2	1		4				3	7
4	8			5	6		2	
		2	8				7	9
			2			4		

No 111

	6	2		5	7	3		
1	5	8	9					
4				8		9	2	
			6	3				7
3	1						6	9
7				1	4			
	8	3		4				6
					2	7	5	8
		9	5	6		4	1	

No 112

2						5	7	3
	1	3			7	4		
	5			6	9			
6	8		5	9				4
	7		8		1		2	
9				3	6		1	5
			4	2			5	
		4	9			1	6	
7	9	8						2

No 113

	6	1		4				3
4		9	8	2				
	7	8					5	2
	1		4			2		
7	4		5		6		1	9
		3			7		8	
5	2					9	3	
				5	8	6		7
9				6		1	4	

No 114

				5	2	6		1
		4		6			7	9
	3	5					8	2
5					6		9	
	9	1	7		3	8	6	
	2		8					4
1	4					3	5	
9	6			7		1		
7		8	2	3				

No 115

	1		7				9	5
			8	3				2
7	2	9				4		
		1		8	2	3		6
4			5		6			7
5		2	3	9		8		
		4				7	6	8
2				4	1			
3	5				8		1	

No 116

3			5			6	8	
5				4	8		9	2
		9	1				4	
	3			2		9		8
		2	8		5	1		
7		4		1			5	
	6				7	8		
9	7		4	6				3
	5	1			9			7

No 117

4	9					7	3	
6	5			8		4		
8		1		7	2			
3			5				6	
	6	4	7		8	1	5	
	2				1			9
			2	3		5		4
		9		5			8	6
	7	3					1	2

No 118

8		1	6					
	7			8	3		1	2
6	2		9			4		
4	3		1				6	7
		7		3		5		
8	6				2		3	9
		8			5		9	1
2	5		4	7			8	
					8	2		

64

No 119

1			4				3	
4		9		1	7	5		
2	8		9			4		
5				6		3	9	
	6		2		3		8	
	7	4		8				2
		5			2		1	3
		2	3	7		6		9
	9				8			7

No 120

			8			6	3	7
		9		3	1	4	5	
	4	8		6				2
				7	2			1
8	5						7	9
1			5	9				
5				2		9	6	
	7	2	3	5		8		
6	3	1			4			

No 121

	6	2		3		8	4	
		7		4		1		
1			2		9			6
	4	9	5		6	3	2	
2			7		4			5
	5	1	3		2	4	7	
8			9		5			4
		5		2		9		
	2	6		7		5	8	

No 122

2	3		7				6	
	5				4	8		9
6				1	2	4		
				4	3	1	5	6
8								7
1	6	3	9	5				
		7	2	9				8
5		9	3				4	
	2				8		1	5

No 123

7			3		5		1	
2	9				8			5
				1	7		8	6
		5		6	1	2		
9		4				6		1
		6	9	5		7		
6	1		5	2				
3			1				2	9
	8		4		9			3

No 124

6	3					2	4	
7		5	1	2				
9	8			7		6		
	1		5					3
	9	6	7		2	5	8	
4					8		9	
		3		8			7	9
				4	1	8		6
	2	4					5	1

No 125

		1		7		9	6	3
		9	6	1	4			
		2	3		9			
	4		8		5			7
	2	3				8	5	
9			2		7		4	
			1		8	7		
			9	5	6	4		
8	6	4		2		1		

No 126

5	3	9		6			4	
			9				1	
				2	5		7	
4		3	6		8	1		7
2	8						9	3
7		6	2		9	4		5
	7		5	8				
	6			4				
	5			1		8	3	4

No 127

	8				7			
6			3	4			5	2
3		4		1		8		6
2	4	8			9	5		
		1				7		
		5	8			3	9	4
4		9		7		6		5
1	7			8	5			9
			2				3	

No 128

		5		4	7			3
9	7	3	8					
	6				3	1	2	
	3			8		7		1
	9		4		6		5	
4		8		3			9	
	8	2	1				7	
					2	8	1	5
7			9	6		4		

No 129

		5	4					
3				7	9	2		8
9	6			2			3	1
1	5	3	7				9	
	2						8	
	9				3	1	7	4
6	7			8			1	5
4		9	5	1				6
					2	7		

No 130

	7		2					
1		2	6				4	
5				9	8	1		7
2		9			1	6		8
	5			8			3	
8		4	7			5		2
3		1	4	5				9
	9				3	7		6
					9		1	

No 131

	2		5		7	9		
	7	1	8		4	2		
9				6			3	
		3	2				7	8
		5		4		1		
1	6				9	4		
	1			5				2
		6	4		8	5	9	
		9	3		1		8	

No 132

	5			4			1	
	4	9	1			7	3	
7	1				8		2	4
			9	7		1		2
9								3
1		8		5	6			
6	9		3				4	8
	2	5			4	6	7	
	8			2			5	

No 133

1		9					7	
	8	3		1			4	5
			7	3	6			
5					4	8	1	2
		1	3		8	7		
8	9	6	1					4
			8	2	3			
6	7			4		3	5	
	4					1		9

No 134

	6	4	2					1
	9		5	6		7		
5					7	4		8
				1	2	3	8	4
		7				9		
3	2	8	6	4				
2		5	9					3
		3		8	5		1	
4					1	6	7	

No 135

5	6	9						1
	8				9	4	5	
				7	3	6		
8			6	3		2		7
		1	2		4	9		
6		4		5	7			3
		6	8	1				
	4	7	3				8	
1						3	2	9

No 136

	9		7			6	8	
3	2	7						1
			9	1		4		
7				5	6	8		4
		3	2		8	1		
6		2	4	7				9
		4		6	7			
1						3	4	5
	5	8			3		9	

No 137

					9			2
	6	5		7				
		1	5	2			7	
4					3			
		7		1		5		
			2					8
	9			3	6	4		
				5		6	1	
3			8					

No 138

6		3	4		2	7		8
2				7				4
			8	6	1			
		7				3		
4								2
		9				5		
			7	9	5			
5				1				3
7		1	2		3	8		9

No 139

	6		9		3		1	
2	1			8			7	9
	2	1				6	8	
6		5				7		4
	8	4				3	9	
8	5			2			6	3
	9		6		7		4	

No 140

	9		8		6		2	
		8				1		
	1	5				9	3	
7			3	2	9			6
8			4	7	5			1
	5	2				6	1	
		7				3		
	6		1		4		8	

No 141

	3	1	6		2	8	9	
		9				6		
			8	1	9			
	8	5	9		1	7	4	
	4						1	
	1	7	3		5	9	8	
			7	3	4			
		3				2		
	9	4	1		6	3	7	

No 142

7			2		9			8
3		1		4		7		5
		2				9		
			4		5			
		9				1		
			1		8			
		5				6		
1		6		8		4		2
4			6		1			7

No 143

	8						5	
3	5		7		6		4	9
			3	5	4			
1	9		5		2		3	7
7								4
4	3		9		7		2	1
			1	7	9			
9	1		6		8		7	5
	6						9	

No 144

	9						1	
		4	9		1	2		
6				5				4
9	7		6		3		2	5
			2		5			
2	1		8		9		3	6
8				3				2
		7	1		6	8		
	5						7	

No 145

3		7				2		4
	2	6				5	7	
			2		5			
5			1		6			9
			8		3			
4			9		7			2
			4		8			
	4	1				3	8	
6		2				1		5

No 146

2	3		1		5			
		5		7				
4	7		2					
1	6		7		9		3	5
		3				4		
9	4		8		3		2	1
					2		1	8
				1		3		
			5		8		4	6

No 147

		7			8	4	6	
	6				9			2
1	3					8		
					2		9	
5								6
	4		5					
		3					7	1
8			3				2	
	9	4	2			3		

No 148

3	5						9	
	7		1			6		8
		6		7				2
	3	1	6					
					4	9	6	
2				4		3		
9		7			5		1	
	8						5	9

No 149

1								8
	9		6					
2				7	9			4
				6		8		5
4		6	2		8	1		3
9		1		3				
5			9	2				7
					7		3	
6								2

No 150

		9	6					
								7
			7	1			2	8
		5			9	7	4	
8				7				1
	2	7	4			3		
2	7			8	6			
3								
					5	4		

No 151

4			7		6			3
		9	2		8	6		
	8						1	
	2		4	7	3		6	
5								9
	3		6	9	5		2	
	4						7	
		8	5		7	2		
7			3		9			1

No 152

		2	3		9	6		
				2				
	3		5		4		9	
	2	3	7		5	8	6	
1				9				5
	6	8	2		3	7	4	
	1		4		6		8	
				5				
		7	1		2	4		

No 153

	3		4		2		1	
4			1		8			5
				9				
8	5		2		6		3	1
		4		7		9		
2	6		3		9		5	8
				2				
6			9		1			7
	2		6		7		8	

No 154

	3	1		6				
			3		2			5
		8	5					
			7			9		4
		6		3		1		
9		3			5			
					8	3		
7			4		3			
				1		8	2	

82

No 155

			7		5			
	5	3				7	8	
4	7						3	2
7			9		3			4
			1		2			
9			6		8			5
5	6						7	8
	2	1				4	6	
			4		1			

No 156

			4	1		5		9
						7		8
	3		7				1	
			6				7	
2				5				1
	8				3			
	2				4		6	
5		7						
1		9		2	5			

No 157

		8	4		7	1		
	1						6	
2				3				8
6	2		3		4		1	9
			6		2			
4	3		9		8		7	2
5				6				4
	7						9	
		2	7		9	5		

No 158

	4	3				8	1	
2	9			6			3	7
		6	8		1	7		
	8						9	
		2	6		9	4		
1	2			7			6	4
	6	9				3	5	

No 159

3		2				9		6
	1	5		7		2	4	
2			8		1			7
		8				3		
5			2		3			4
	5	3		2		6	7	
6		4				1		8

No 160

3	2			7				
			3		6	5		
	1		5					
			8			4	9	
	7			3			2	
	3	9			5			
					1		3	
		8	4		3			
				2			1	6

No 161

9			1		2			
				5		8	3	
			8			1		
					9	7		2
		4		1		5		
7		1	6					
		8			6			
	1	5		4				
			3		1			6

No 162

			1					7
				5	6			2
2	1	9		3				8
	6					2		
4		3				5		1
		2					7	
8				7		9	4	6
6			2	8				
3					4			

No 163

3			7		5			6
				8				
	1		6		3		5	
1	6		2		8		3	4
		4		1		8		
2	8		4		7		6	9
	2		3		4		9	
				9				
4			5		2			7

No 164

			5		1	3		6
			9			5		8
				8			7	
6		2	7		5	8		9
	7						6	
3		8	2		4	1		7
	1			4				
4		6			9			
7		9	1		8			

87

No 165

	4		8					
			7		3			8
	1	7		2				
9	7				8			
	2			7			1	
			5				9	6
				1		3	4	
5			6		7			
					4		7	

No 166

9			3		6			8
3	5			2			1	4
8		5				9		1
	9	6				4	3	
1		3				7		2
6	8			1			2	7
7			8		5			3

No 167

2	8							
		1			4	7		
3	6			1				
			9			8		5
1				6				3
6		5			7			
				3			4	2
		9	8			3		
							8	6

No 168

7	5			4				
			8		5	1		
2					1			
5		6	1					
4				5				7
					3	9		6
			2					5
		3	5		9			
				7			8	2

No 169

				3	6		9	5
							4	
		2			8			
2		5			7	8		
	1			5			3	
		4	2			5		9
			6			7		
	5							
9	3		5	1				

No 170

6			4		3			9
		4				2		
	1		8		2		7	
3		7	6		5	1		8
2		5	9		8	7		4
	9		2		6		8	
		6				3		
1			5		4			7

No 171

			7		5			
8	9						3	2
2		7				5		4
	3		2		9		1	
			5		4			
	7		1		6		8	
9		8				6		3
6	4						7	8
			8		3			

No 172

			6			8	7	
				7				1
			8		4	5	9	
	9	2	1		8	7	6	
1								9
	5	7	2		3	4	1	
	1	6	4		7			
4				3				
	3	9			6			

No 173

	1	8						
6			1					9
	2	4		6				
1		5	9					
		6		8		3		
					7	8		5
				3		6	8	
7					2			3
						4	1	

No 174

			5	7			1	8
							9	
		6	4					
		9			6	8		1
	2			8			7	
6		8	3			4		
					5	3		
	8							
1	7			2	8			

No 175

1			3		4			6
3		8		9		2		5
6	8						1	2
	4	1				3	5	
2	3						7	9
4		6		2		9		7
7			6		8			3

No 176

1		8		9		4	

	1		8		9		4	
4				6				7
		5				1		
2		1	6		8	7		5
			5		7			
7		9	2		4	6		8
		2				9		
8				5				3
	3		9		2		7	

No 177

3	2							8
		1		7			5	
4					3	6	2	
9		2			7			
			9			4		1
	8	9	4					6
	5			6		9		
2							1	3

No 178

				9		1		
			7				9	8
			5		1		2	7
5	7		6		2		8	4
		8				2		
1	2		9		4		3	5
3	8		1		6			
6	5				7			
		2		5				

94

No 179

	9		8		7		1	
		1				5		
3	7			9			2	4
7				4				8
			5		1			
8				7				2
1	3			2			8	6
		8				4		
	6		3		8		9	

No 180

		7	4		2	3		
	9		1		6		2	
2								8
7			5	6	4			1
	6						4	
5			8	2	1			7
9								3
	1		2		5		8	
		5	7		3	6		

No 181

	1		2		4		8	
		2	9		3	7		
3								2
5		9	3		6	1		8
8		6	7		5	9		3
7								4
		4	8		1	5		
	5		6		2		9	

No 182

			2		8	3	9	
			5		9	7	4	
				7				1
		1	4		6	2	3	
2								4
	3	6	8		7	1		
7				9				
	2	9	7		3			
	6	5	1		2			

No 183

	1	7						
4			7					9
	6	3	5	4				
7			8					
	4			3			2	
					9			1
				2	3	6	4	
8					5			2
						7	3	

No 184

				5				
		5	6		2	3		
2			4		9			6
5		2	9		1	8		3
	7			6			9	
3		8	2		5	1		4
7			3		4			8
		1	5		7	4		
				9				

No 185

	3		4		8		1	
9								3
		7	2		3	6		
4			5	8	2			6
	2						8	
6			9	3	4			5
		8	6		7	5		
7								1
	9		3		5		4	

No 186

	8						3	
		7	9		1	8		
2			8		5			6
	2		5	9	4		1	
		9				5		
	4		1	8	3		2	
4			6		2			9
		1	4		8	3		
	7						6	

No 187

	4	5		1		9	6	
	2		4		8		3	
5	3						9	2
8		2				4		6
4	9						1	7
	7		3		5		4	
	8	3		9		1	7	

No 188

7	2				5		3	
6	1						5	
				1	9			4
			5					3
2		5				8		7
8					6			
9			1	5				
	5						8	9
	8		6				7	1

No 189

4			2		1			7
2		7				6		3
		5				8		
	7		5	6	9		8	
	2		1	8	3		4	
		2				4		
5		9				3		2
6			4		7			9

No 190

	9	7	5		4	8	6	
			7	8	9			
		5				9		
	7	9	6		3	1	8	
	8						2	
	2	1	9		8	3	7	
		4				6		
			1	6	2			
	1	6	8		5	2	9	

No 191

	2						9	
	8	9				6	1	
		1	2		3	7		
5			6	7	1			3
2			4	5	8			9
		3	9		4	2		
	7	8				9	3	
	5						6	

No 192

		1	7		6	2		
				5				
	5		9		2		6	
	3	5	2		1	6	4	
4				8				2
	9	2	6		4	8	3	
	7		3		9		8	
				4				
		3	1		7	9		

No 193

3	6			4			2	1
9		1				5		7
		6	4		3	9		
5								3
		4	5		7	2		
4		3				1		8
6	7			2			9	4

No 194

3								8
		6	2		8	7		
	8		3		5		1	
7	9		4		1		5	3
4	5		9		3		6	7
	2		6		7		4	
		4	8		9	5		
1								2

No 195

4			3		8			9
	3		2		6		1	
		6				3		
	5	9	1		7	6	2	
	2	7	6		5	9	4	
		1				8		
	8		9		4		7	
7			5		3			2

No 196

	2	5		6		3	9	
7								8
4			7		9			1
		3		2		8		
			4		6			
		8		7		1		
3			5		2			6
8								2
	5	1		4		9	7	

No 197

8				7	1			
	6				3		2	1
	7						6	8
					7			5
9		7				6		2
6			3					
3	1						7	
2	9		7				5	
			8	1				4

No 198

		9	5		8	6		
	2		3		1		5	
5								1
9	6		1		7		3	4
1	3		2		4		7	9
8								2
	4		9		6		8	
		3	7		5	4		

No 199

	3		7					
	9			6	1			
	4			8		1	5	7
3						4		
	7	5				6	2	
		1						8
2	5	4		3			1	
			1	2			9	
					4		8	

No 200

		7		1		9	6	2
		3		2	7			
		5	6					
	6							1
	8	2				4	9	
5							7	
					4	1		
			7	8		3		
4	7	9		5		6		

No 201

9			6		4			5
	3		2		1		9	
		5		3		4		
	4	2				8	6	
7								4
	5	9				7	2	
		4		2		3		
	6		8		3		5	
8			5		7			1

No 202

		2	1	5				7
	5				9			
				6		4		1
					3		9	
8				4				6
	7		5					
6		1		8				
			2				3	
4				3	6	8		

No 203

9		7						
	3		7				8	
6		5		3				
					4		2	9
3				9				1
2	7		8					
				1		9		3
	4				5		1	
						7		6

No 204

5			4		9			7
		7		1		8		
	3						5	
	5	6	9		1	3	8	
			8		3			
	4	8	7		6	9	1	
	6						4	
		9		3		2		
2			6		4			8

No 205

8			1		3			2
		3	5		9	1		
				2				
4		8	6		5	2		1
	5			3			7	
6		9	2		1	8		4
				5				
		4	9		8	7		
9			7		2			6

No 206

	3						9	
5		2				6		1
8			5		1			3
		5		6		7		
1			3		7			2
		4		9		5		
6			7		5			4
4		8				2		7
	5						6	

No 207

			4		5			
6		8				7		3
	4	9				8	5	
1			3		8			6
			9		4			
7			2		1			5
	2	6				3	7	
5		7				2		9
			6		7			

No 208

			7				6	
				1	5		9	
7	4	1		8			5	
5						6		
4	3						1	2
		8						7
	7			6		3	4	5
	9		5	2				
	8				3			

No 209

		5	2		8	9		
3								1
	8		4		1		6	
8			9	2	5			4
		6				7		
4			8	6	7			5
	4		7		2		1	
2								9
		3	5		6	2		

No 210

6			2					5
						9	1	
			1	5		4	3	
			7					8
	3			1			5	
9					6			
	4	1		3	2			
	8	9						
3					9			7

No 211

						3		
4			7					
			2	9		5	8	
3					4		5	8
		1		8		9		
8	4		6					7
	5	9		1	8			
				2				6
		8						

No 212

	7			1				
4		8	5		9			
1		5	6					
6		1	7		5	2		4
	4						7	
7		9	2		3	1		8
					6	4		3
			9		1	6		7
			3				9	

No 213

	3		4		5		8	
1								9
		9	7		2	3		
2		5	3		1	8		6
3		8	5		6	7		2
		4	6		8	1		
6								4
	7		9		4		2	

No 214

7		9	8			6		
	4		3					7
		8					2	1
3			4					
	7						5	
					5			9
6	2					1		
4					1		8	
		1			4	9		3

No 215

			7					5
	2			9	6		7	
	8						9	
				8		3	2	
	1	8	3		9	4	5	
	6	4		5				
	4						3	
	9		6	7			1	
6					8			

No 216

		1		6		4		
3			9		7			6
	4		1		2		3	
2		8				7		1
	1						5	
7		5				3		4
	9		5		4		8	
4			6		8			2
		6		7		1		

No 217

		1					3	4
5			1				9	
	6	8	9			1		
	8		2					
2								7
					9		6	
		3			5	8	7	
	7				6			9
4	1					5		

No 218

5		3				4		7
2			5		6			3
		9				1		
	5		6	1	7		2	
	3		9	4	8		1	
		5				2		
4			2		3			8
9		8				7		5

No 219

1				6		3		
9		5			4		7	
	8						4	9
					6	9	2	
	3	7	2					
3	4						9	
	5		7			2		8
		2		5				1

No 220

		4		9		7		
	1		5		3		6	
2			7		1			3
4		9				1		2
	5						4	
3		8				5		9
7			6		9			8
	8		4		2		3	
		3		7		4		

No 221

5	7						1	2
4		2				5		3
			2		3			
	3		8		4		6	
			9		7			
	1		6		5		2	
			1		9			
8		1				9		7
2	4						3	8

No 222

		4	8	2				
		5			6			
		3		1		4	7	6
	4							8
	2	6				9	1	
5							4	
9	7	8		5		3		
			9			1		
				3	4	8		

No 223

6			1		4			5
		3	9		2	6		
	5			3			1	
	2	1				4	7	
8								1
	6	5				2	8	
	1			2			3	
		4	3		7	5		
7			8		5			9

No 224

	7	8						
9			7					4
	6	2		9				
7		1	4					
		9		8		3		
					5	8		1
				3		9	8	
5					6			3
						2	7	

No 225

				6				
5			1		4			7
		8	5		9	1		
4		7	9		2	8		1
	5			3			6	
9		2	8		6	7		4
		9	2		3	4		
2			6		1			3
				9				

No 226

	1		3		5		2	
9								3
		3	6		4	8		
2			4	3	9			7
		5				6		
4			5	6	7			2
		9	7		3	4		
1								8
	6		1		2		7	

No 227

3	8	1		2		4		
			7	9		1		
					3	5		
7							1	
	2	6				3	9	
	1							5
		2	6					
		7		4	1			
		4		5		7	8	6

No 228

6								2
	9		2		7		6	
		5	3		6	4		
2	7		1		9		8	5
5	4		8		2		7	1
		7	6		8	1		
	1		4		5		3	
3								9

No 229

	8		4		7		9	
		7	1		8	5		
				9				
	3	8	7		5	9	2	
7				6				3
	2	6	8		3	7	4	
				3				
		4	5		1	2		
	6		2		4		1	

No 230

7								9
2			4		7			6
	5	1		8		3	4	
		9		7		6		
			8		2			
		3		5		9		
	1	6		2		4	7	
3			5		1			8
9								5

No 231

	5		2	3	1		9	
7	1		9		5		6	4
	4	5	3		8	2	7	
		3				6		
	7	1	5		6	9	3	
5	3		8		9		2	6
	6		1	2	3		5	

No 232

2	3			4				
			2		8	9		
	1		9					
			5			7	6	
	4			2			3	
	2	6			9			
					1		2	
		5	7		2			
				3			1	8

No 233

	2			3	6			5
				2			9	6
		3	7					
		4			3			
6				5				2
			8			1		
					4	8		
9	5			6				
1			9	8			7	

No 234

	6				7		2	
9		1		6	5			
3		5						
			2				3	
		6		5		1		
	4				8			
						4		3
			7	1		9		5
	8		3				1	

No 235

				6				
8	6						7	9
4	5			8	9	1		
			3			5		7
		7				4		
3		4			7			
		5	6	2			3	8
6	7						4	2
				7				

No 236

	4			2	7			
	2			5		3	4	1
	8		1					
		7						5
	1	8				6	9	
4						7		
					9		5	
9	7	3		8			2	
			4	6			7	

No 237

1	9		8		7			
8	5		6		2			
		3		9				
	3		9		6		4	5
		1				2		
5	2		4		1		3	
				8		9		
			2		3		7	4
			5		9		8	2

No 238

9		5	2	7				
			1				4	
		2						
	3		6				2	9
		7		2		5		
6	2				4		8	
						3		
	6				8			
			5	1	9			2

No 239

	2	7				4		
			1	4			2	
	1	6	5			7		
					5		7	
7	6						8	4
	3		4					
		3			4	8	6	
	9			1	2			
		4				1	5	

No 240

	6						8	
5		2		1		3		7
	9		8		5		4	
		9		8		6		
			4		1			
		6		7		2		
	1		3		7		2	
8		5		4		9		3
	7						6	

No 241

4				7				
	1	8	6		3			
	3	7	4		2			
		6	5		1	3	2	
3								5
	2	1	9		4	6		
			8		7	4	5	
			3		9	2	7	
				4				6

No 242

			5	4		7		
4	9	2		3		5		
					9	8		
	5							8
	2	1				4	6	
3							9	
		3	1					
		9		8		2	5	1
		7		6	5			

No 243

			9	4	6			
	9						8	
7	4		3		8		6	9
6	2		4		9		1	5
5								4
4	1		2		7		9	6
9	5		8		4		7	1
	7						3	
			5	7	1			

No 244

				7				6
			6		9	8	7	
			1		8	4	3	
	8	9	2		4		1	
2								8
	1		5		6	9	4	
	9	7	8		5			
	6	2	3		7			
1				6				

No 245

	6					3		5
	7	9			6		8	
2					4	9		
		4			2			
9								1
			1			7		
		2	3					6
	3		2			4	7	
5		8					3	

No 246

7		2			1			4
	5				3	2		
1						9	6	
			8			7		
	2						8	
		3			5			
	6	4						9
		5	9				1	
9			5			3		7

128

No 247

4					2			9
	7	5						
	6	8		4	5			
3					1			
		4		5		8		
			9					7
			2	8		6	5	
						3	7	
1			7					8

No 248

				4				
3		6		7	1		8	
4		7				1		5
	6	2			5			
	5						6	
			2			5	3	
5		4				9		6
	3		4	9		7		2
				5				

129

No 249

3			4		7			6
	4		6		5		2	
		5		1		9		
	1	7				8	4	
9								7
	2	6				1	9	
		9		5		4		
	8		1		3		5	
4			2		9			8

No 250

					2	8		
2	4	9		5		1		
			1	4		3		
1							8	
9		6				4		7
	5							2
		3		7	1			
		2		8		9	6	1
		5	6					

No 251

8			6		7			3
		2				1		
5		9				8		6
	2		1	9	4		8	
	3		7	2	5		6	
6		5				4		1
		3				6		
4			3		8			9

No 252

	4						3	
		9	3		6	4		
5			8		4			7
	5	7	1		3	6	2	
	3	6	2		9	1	5	
6			4		1			2
		2	7		5	8		
	8						9	

No 253

	2		3		4		1	
9			5		7			6
		1		9		8		
	4	3				1	5	
6								4
	8	9				7	6	
		2		7		5		
1			4		2			9
	6		9		1		3	

No 254

			4		7		5	8
			2				6	4
				6		3		
9	5		3		4		2	6
		3				5		
6	8		9		1		3	7
		7		1				
5	1				2			
2	3		7		6			

No 255

	6		8		9		7	
1			7		5			8
				1				
5	7		2		8		3	4
		2		3		7		
4	1		6		7		8	2
				2				
9			5		4			3
	4		9		6		5	

No 256

				9				
9	8						5	6
		7	8	5			2	1
			1			7	9	
		9				6		
	1	6			9			
7	6			2	4	3		
8	2						4	9
				8				

No 257

	4	7					3	
	6				8	9		5
5				6		1		
			2				5	3
8	7				5			
		1		2				7
6		3	4				8	
	9					3	4	

No 258

	2	1				7	3	
9								6
6			3		7			4
		5		8		9		
8			2		9			1
		2		1		6		
7			4		3			5
5								2
	3	4				8	9	

No 259

	4	6				1	8	
9			4		6			3
3								7
		3		1		8		
1			8		7			2
		7		2		5		
8								5
5			9		4			6
	7	2				9	4	

No 260

			2		4	3		6
					7	4		9
				9			8	
6		5	4		8	9		7
	8						6	
3		9	1		5	2		8
	2			1				
1		6	7					
8		7	9		2			

No 261

	2			9		4	3	8
	3		5	2				
	1				8			
		5						9
	8	1				6	7	
3						5		
			7				9	
				6	3		5	
7	5	4		1			2	

No 262

4	5	7		8		6		
			6	5		3		
					4	1		
6							1	
7		2				5		9
	8							4
		8	2					
		3		9	6			
		4		1		7	2	6

No 263

	3	5						
1			9					8
	7	6		1				
					4	2		3
		1		7		6		
2		7	8					
				6		5	9	
4					3			6
						7	3	

No 264

		2	5		7	3		
	4			9			6	
7			6		1			5
	9	3				8	7	
1								3
	5	4				1	2	
3			9		4			7
	8			7			5	
		5	1		2	6		

No 265

7		5		1		6		8
2			7		3			4
6	7						9	1
	3	2				7	8	
4	5						2	6
9			4		5			7
3		4		6		1		9

No 266

	8	7	3		6	4	1	
	4		8	1	5		7	
5	2		4		7		8	3
8								4
7	9		6		8		2	1
	7		5	8	1		3	
	5	2	7		3	9	4	

No 267

	2		8			4		
8			2				5	6
	7	3						8
			1				6	
		9				1		
	5				2			
4						3	8	
6	9				4			7
		2			5		9	

No 268

		6		5	2			3
1		2		7				
			4				5	
	4		9					
		7		1		8		
					5		6	
	9				3			
				8		7		2
8			7	9		1		

No 269

		4				9		
7	5						2	6
	3		2		5		4	
5				6				8
	2		8		4		7	
1				9				5
	6		5		8		1	
3	1						8	7
		5				6		

No 270

		5			4	6		
8	7							
9	1			5	7			
		2			3			
	5			7			1	
			6			8		
			4	1			9	7
							2	8
		3	8			1		

No 271

		4				3		
	5		4		7		9	
8			1		3			6
3		5	7		8	2		4
7		9	2		6	5		1
5			3		2			9
	7		6		4		8	
		1				6		

No 272

		8	5		3	6		
	7	6				3	1	
5								8
	5			8			3	
		9	3		2	1		
	6			4			5	
2								4
	1	5				9	8	
		7	9		5	2		

141

No 273

			5	8	6			
	5						2	
7	8		1		2		6	5
8	3		9		7		5	6
4								8
6	9		8		5		3	4
5	4		2		8		7	3
	7						1	
			4	7	3			

No 274

2								6
	4		8		3		9	
		1	7		2	5		
8	7		1		5		3	9
9	6		2		8		5	4
		4	5		7	9		
	2		3		6		1	
3								7

No 275

5	6			9			8	1
		4				3		
		7	4		8	2		
1				6				3
			7		9			
3				4				2
		1	5		6	9		
		3				6		
2	5			7			4	8

No 276

		5		2		7		
	8		1		4		5	
1								4
8		2	3		7	4		6
			2		8			
3		7	4		9	8		1
6								2
	9		7		1		6	
		8		3		9		

No 277

7				2				5
	4		5		1		7	
		2	8		3	4		
4		7				3		6
	6						5	
3		5				1		9
		1	2		9	7		
	9		6		7		8	
5				3				2

No 278

7	5		4	8				
			9			2		
	1							
5		7			2	1		
	8			7			6	
		9	3			7		2
							7	
		3			4			
				6	7		8	5

No 279

6		1				5		9
	8						3	
	2		1		6		8	
		3		4		7		
	5		3		9		4	
		8		5		9		
	7		6		2		1	
	9						7	
3		4				2		6

No 280

8					5			
	4					3		
				7		1	6	
	7				8			5
	8	4		3		7	9	
2			9				1	
	3	7		4				
		1					2	
			6					9

No 281

	3		4		1		5	
		9				1		
1			9		2			8
7		5	6		8	9		2
2		6	7		9	5		3
4			3		5			6
		8				4		
	6		1		7		2	

No 282

							7	
2		4		1	7	5		6
				4	5			
	9			8				7
6			4		3			9
7				6			4	
			8	5				
9		6	2	3		8		1
	3							

No 283

8								3
	5	2				4	9	
1			2		5			8
		3		7		6		
4			3		9			7
		8		4		9		
6			5		1			2
	3	7				1	5	
9								6

No 284

		5				8		
1			7		6			2
	2		4		3		5	
	1	9	8		2	4	7	
	3	4	9		7	2	1	
	8		1		9		6	
4			6		5			3
		6				9		

No 285

5							3	1
2					5		9	8
	7			1	6			
	2		5					
	9	4				5	8	
					3		4	
			1	5			6	
9	1		3					4
4	6							5

No 286

		7			6			
				4	3		2	8
								3
		5	7			3	1	
8				3				4
	2	3			1	9		
9								
2	3		6	8				
			5			1		

No 287

	4		7				1	
				1		3		5
						6		2
			4				8	3
5				3				1
8	6				9			
3		6						
2		7		5				
	5				6		9	

No 288

3			4		8			7
		7				4		
8	5						1	3
	4			2			3	
5			8		6			9
	8			7			4	
9	7						5	4
		2				6		
6			9		4			1

No 289

	2			4			9	
			6	3	8			
	8	4	9		2	5	3	
		5				4		
	9						2	
		1				7		
	7	8	5		9	6	4	
			1	7	4			
	5			6			1	

No 290

		5	8		9	6		
	1			7			5	
9								8
4	9		2		1		7	6
			7		6			
8	6		9		3		1	2
7								4
	3			2			6	
		4	1		8	3		

No 291

		9				1		
	8	3		4		9	6	
	5		9		6		3	
			6		4			
		6				7		
			3		1			
	4		8		7		5	
	1	5		3		6	2	
		7				8		

No 292

	3		9		5		2	
	2						8	
9		5				7		1
2				1				7
	1		8		7		4	
8				4				6
4		8				5		3
	7						6	
	6		5		3		9	

No 293

	6		5		9		1	
2			8		4			5
		5				4		
1		6	4		3	7		8
8		4	2		7	6		3
		9				2		
7			6		1			9
	8		3		5		7	

No 294

			7	4	3			
4								5
7	2		6		9		3	4
1	8		9		2		7	3
	7						9	
3	9		1		4		8	2
9	4		5		6		2	8
2								6
			2	9	8			

No 295

		3	7		1	6		
		8				7		
1	9			2			4	5
	8			5			9	
			6		2			
	3			7			8	
7	1			6			3	4
		5				8		
		2	4		5	9		

No 296

	5						2	
7			8		9			5
8		4				6		9
		1		2		8		
9			5		3			4
		8		6		3		
1		7				4		3
6			3		8			1
	8						6	

No 297

	3		4	5	8		6	
	1	7	3		6	2	8	
4	2		5		9		7	6
1								5
3	5		6		1		2	8
	4	1	9		3	6	5	
	6		8	4	5		1	

No 298

6		4				5		7
8			6		7			9
	9						2	
		3		2		6		
7			9		1			4
		6		5		1		
	6						5	
5			1		6			3
3		8				4		1

No 299

		3	9			2		
							9	5
			6	2			8	1
		5			3			
7				8				2
			4			9		
2	1			7	8			
8	9							
		7			6	4		

No 300

4				8	6			
9			5					
8				2		7	5	4
	4					6		
5		9				1		3
		6					2	
6	3	7		9				8
					3			2
			4	1				6

No 301

			8		2		7	9
					7		4	6
				6		8		
7	2		9		5		1	4
		4				9		
9	8		1		6		2	3
		9		2				
2	5		7					
4	3		5		8			

No 302

	4		2		1		9	
				5				
		6	4		9	5		
	6	7	1		8	9	5	
1				4				3
	2	8	9		5	7	6	
		2	5		3	8		
				1				
	7		6		2		3	

No 303

		9			3			
		7	5	6				
		4		2		7	3	8
	9							7
6		3				1		2
7							5	
8	1	5		9		4		
				4	7	5		
			1			2		

No 304

	9	1	4	2				3
	2	5				8	4	
				5				
					7		8	1
8								9
9	7		8					
				8				
	5	8				9	6	
1				6	5	7	2	

No 305

	5		9					
	7			4		9	2	6
	8			3	6			
6						4		
2	9						1	3
		5						7
			6	1			8	
7	2	1		5			6	
					7		4	

No 306

3			8		4			9
1		7				3		5
		4				1		
	6		3	9	5		8	
	4		7	6	2		1	
		6				5		
7		9				8		1
8			2		1			4

No 307

				9		6		3
					6	2		
	5		7		2			
	1	2			4			
		8		2		9		
			5			1	7	
			2		3		4	
		6	4					
2		9		8				

No 308

	4	6				3	9	
		5				4		
	3		2		5		7	
5			6	1	8			4
1			3	7	9			2
	2		8		4		5	
		1				9		
	6	7				2	4	

No 309

6			5		1			7
8		4		2		6		9
		5				1		
			4		7			
		1				4		
			2		9			
		9				3		
4		3		7		2		5
2			3		4			6

No 310

			3	9	2			
3		2	5		7	9		8
		7				3		
2		3	6		8	4		9
9								1
1		4	9		3	6		2
		5				8		
4		8	7		9	1		3
			1	8	4			

No 311

3		7		6	8			
2		9						
	6				2		5	
			5				9	
		6		3		4		
	2				1			
	1		8				4	
						3		2
			3	4		6		7

No 312

		3				6		1
7	9		4			2		
8				2			9	
	3	9			5			
			9			1	4	
	1			5				8
		4			6		2	3
3		6				7		

No 313

4		8						
	3				6		5	
7		9		3	4			
	2				1			
3				4				7
			5				8	
			6	7		4		9
	1		8				7	
						8		2

No 314

			8		9			
	3	9				8	7	
6	5						3	1
1			6		3			2
			7		8			
9			4		2			5
7	4						5	9
	6	5				4	1	
			1		5			

No 315

5								1
		4	1		5	7		
	7			6			2	
3	2		8		1		4	5
			4		6			
4	6		2		3		1	9
	4			3			8	
		8	5		2	9		
9								6

No 316

		4	9		3	2		
1								7
	8		6		7		5	
4		3	5		8	6		9
2		8	7		9	1		4
	4		8		6		2	
6								3
		5	3		1	7		

No 317

9								
5	6			1	9			
					7	2		
	8	9	2			3		
1				9				5
		4			8	9	6	
		8	3					
			7	5			9	6
								4

No 318

		5	2		7	8		
	2						7	
	8	4		9		1	3	
			4		9			
	3						2	
			5		3			
	9	7		5		3	6	
	6						4	
		8	3		6	9		

No 319

	3				4		5	
				5	6	7		2
						6		8
					1		9	
		7		6		5		
	8		3					
8		9						
6		2	4	7				
	7		8				1	

No 320

	3	2		5		6	4	
8	9						3	1
2			3		1			4
	1						7	
5			7		6			3
7	6						2	8
	8	5		3		4	1	

No 321

	4	9		1		2	5	
		3	5		8	9		
6		1				5		8
7	3						6	2
9		4				1		3
		5	3		2	6		
	1	7		4		3	8	

No 322

1	7							
5	9			2				
		2	6			3		
	5	4	3					
	2			5			9	
					8	1	4	
		8			1	9		
				9			7	6
							5	1

No 323

	3		6		2		1	
4			7		8			2
		8				5		
		7	3	6	1	2		
	9						4	
		1	2	4	9	7		
		3				6		
8			9		6			7
	6		1		4		5	

No 324

				5				
3			4		2			8
	5		9		8		2	
8	9		2		7		1	6
		7		6		8		
5	1		8		3		7	2
	4		1		9		6	
1			3		4			9
				7				

No 325

		6	8					
		9		1		5	4	8
		5		9	3			
5							3	
	6	8				2	7	
	3							1
			5	7		3		
2	4	3		6		9		
					2	1		

No 326

1								5
		5	1		9	3		
	4		8		5		7	
2		9	6		1	4		7
7		6	2		3	9		1
	2		5		6		9	
		8	4		7	2		
3								8

No 327

	3	7				1	2	
9	2			4			6	8
		9	2		1	6		
	1						5	
		4	5		8	2		
4	7			2			1	6
	8	5				7	9	

No 328

						3		9
				8		2		1
	5		9				8	
			5			4	9	
		7		3		8		
	4	3			6			
	7				1		6	
3		8		7				
9		2						

169

No 329

	8		2		5		1	
		5	7		1	4		
				6				
	4	7	9		2	1	8	
5				3				6
	9	2	6		8	7	4	
				2				
		9	1		6	3		
	2		3		9		7	

No 330

5			6		3			2
		7				8		
	2		1		4		7	
	1	4	3		9	2	5	
	5	9	2		8	4	3	
	8		9		5		6	
		6				9		
4			7		6			1

No 331

9	2						8	
1	6				7		2	
				8	1			9
4					8			
6		2				8		5
			7					2
3			9	1				
	4		8				5	6
	8						1	7

No 332

		1				4		
		7	5		3	1		
3	5						6	2
	1			6			2	
		6	4		2	8		
	4			8			9	
4	8						7	3
		9	3		7	5		
		2				9		

No 333

	2	1			6	7		
	7				2			
9				5			3	
1	5				9			
		4				1		
			7				2	8
	1			4				7
			3				8	
		5	6			4	9	

No 334

7		5						
2				6				
8	6				4			
	2	6			5	8		
	9		8		1		5	
		4	7			3	2	
			1				8	3
				3				7
						9		5

No 335

			8					
	6		3	5				
							9	
		4				6		8
		5		1		3		
9		2				7		
	3							
				7	9		4	
					2			

No 336

9		7		8		5		
		5						4
			2				6	
	2		1		8			
		8		9		3		
			3		6		5	
	1				4			
3						9		
		2		3		8		7

No 337

1					6			
8	6			7			3	
					3	1		2
3		6	7					1
		9				3		
5					2	6		4
9		7	5					
	5			2			8	7
			4					6

No 338

			5					
			1	9	3			
6						7		
							5	9
3				8				4
7	2							
		9						1
			6	4	2			
					7			

No 339

						9		6
8			6				3	
	6		9				2	
1		3			8		5	
			2		1			
	5		3			1		9
	7				9		1	
	2				4			3
6		8						

No 340

		7			3			
	8			5			7	
3	4				1	9		
			4				2	1
		8				6		
9	2				7			
		5	6				1	7
	6			8			5	
			5			4		

No 341

8		6						
	4		6			7		
	5		8				6	
	9				7	1		4
			5		1			
1		8	4				9	
	1				8		3	
		4			2		5	
						6		7

No 342

		9		4		5		
					7			9
3					2	1	7	
					9	8	3	
6								5
	2	8	1					
	9	2	6					4
1			4					
		4		5		6		

No 343

7			8	3				
			1					
								6
		9				7	1	
		3		5		8		
	6	4				2		
8								
					4			
				2	6			9

No 344

6				4	5			3
		5				8		
	2	7	8		9			4
				3			6	8
		3				1		
9	5		1					
1			6		2	3	5	
		9				7		
2			5	9				1

No 345

6				4			7	1
		2	6					
	9							8
			2		9	6		
9				8				4
		3	4		5			
1							3	
					7	5		
4	8			9				7

No 346

	8			3				7
		7			6			
	2	1					9	
4				1				5
			6		5			
9				7				2
	3					2	1	
			5			6		
7				9			8	

No 347

			1	6	7			
			2					
5						4		
	1	2						
		3		8		6		
						5	9	
		7						2
				9				
			3	5	4			

No 348

					3			
4							8	
			1	7	5			
	3	5						
	9			6			7	
						2	4	
			8	4	9			
	1							3
			2					

No 349

		4			6			
	1	2					3	
	8			5				4
3				4				1
			6		9			
7				2				9
4				3			8	
	5					1	2	
			9			6		

No 350

			5					
	9	7						1
	6			1	8			
		5		7			9	
		6	3		2	1		
	2			6		3		
			8	2			4	
2						9	7	
					4			

No 351

							6	
	2			6	9			
	3	7	2					
7				8		4		
		8	3		1	6		
		4		9				5
					8	1	2	
			5	1			3	
	8							

No 352

				8	7	3		
					4			
		5						
	3						6	9
	2			1			5	
7	4						8	
						7		
			9					
		6	5	2				

No 353

	5							6
			4	7	2			
			8					
7		8						
1				9				2
						3		5
					5			
			6	1	3			
4							7	

No 354

7				6		8		
	2	3			1		9	
		9			3			
			9			3		4
	5						2	
2		6			7			
			8			4		
	6		1			7	5	
		2		5				9

No 355

8	4					7		
			3					
1				7	9			
	3			4				8
	1		5		6		7	
6				1			5	
			9	6				2
				2				
		6					8	4

No 356

3			6			4		
							2	7
		5	1			9		
1	5				3	8		
			5		4			
		8	2				3	5
		4			1	7		
7	1							
		3			7			2

No 357

		6		2		7		
1		3			9		8	
	7				1			
8		4			7			
	6						5	
			3			4		9
			2				3	
	2		5			9		7
		5		6		2		

No 358

7							1	5
			4				3	
		2		8				9
		8		2		1		
			3		4			
		6		5		4		
9				7		2		
	2				3			
1	5							8

No 359

9	5					7		
			2					
	8			7	1			
2				9			5	
8			4		6			7
	6			8				4
			1	6			3	
					3			
		6					9	5

No 360

	2			4	3			
1	7	3						
5			8		2			
			1	7			6	
		2				9		
	8			6	5			
			9		7			4
						1	9	5
			3	5			7	

No 361

	9		5	8				
			4					
							3	
6		3						2
8				1				5
7						4		9
	5							
					6			
				2	3		7	

No 362

9			5					8
	3	2						
1			6			4		
	4	8	3					7
			8		1			
7					4	5	8	
		3			2			4
						2	5	
2					5			1

No 363

1					2			
	9			6		4		
5	3						8	
		5		4		6		
			2		1			
		2		3		7		
	6						5	3
		4		8			9	
			1					4

No 364

8				4				6
		5	9				2	7
			2			8		
3	9				7			
		1				6		
			8				5	3
		7			4			
9	8				1	4		
4				6				1

No 365

		9		2	6			
	5						6	
		2	5		7		4	1
			3			7		6
	3						9	
8		5			9			
6	9		8		1	3		
	4						7	
			6	7		1		

No 366

	7		6	5				
			1					
							4	
		2				7		1
		5		8		6		
4		9				3		
	6							
					9			
				3	4		2	

188

No 367

	6	3						
1		8	5					
		2		1				
2	1		6				8	
7			4		8			6
	5				3		9	2
				9		3		
					4	9		8
						6	7	

No 368

5	9						2	6
			7					
					8		9	
1					6	7	8	
	8		9		1		4	
	4	3	2					9
	1		4					
					3			
2	6						1	5

No 369

3							6	
			1					
			7	8	9			
						1		8
9				4				2
6		5						
			3	2	5			
					6			
	8							7

No 370

3					1	6		2
	8	2		4				
					7	8	4	
	4					2		7
7		1					3	
	1	9	5					
				2		3	1	
6		3	9					8

No 371

		2			5			
3				1			2	
4		7						8
	6			7			9	
			5		9			
	8			2			4	
1						4		7
	2			8				3
			9			5		

No 372

	2	5	7					4
8			4					
	4			6			7	
	1	2	8					
7								6
					5	9	1	
	5			4			6	
					3			5
9					2	3	8	

No 373

	6		9					
7	1			2				5
			5			1	8	
	9	6			2		5	
		3				8		
	4		1			6	3	
	2	4			3			
3				1			7	6
					6		4	

No 374

			7					6
					8	9		
	4	9				2	3	
					3	8		7
		8	9		1	6		
5		6	2					
	2	3				1	4	
		1	6					
8					5			

No 375

4		2				3		
			9		1			6
	6	7						
				8			5	
3			6		7			9
	8			5				
						2	8	
6			2		5			
		9				7		4

No 376

7			4					
		4		9		2		
	1	8	2					4
					1	5	6	
2								9
	8	5	7					
6					8	7	3	
		1		4		9		
					3			1

No 377

			7					2
	4					3		
	6	5		8			7	
			8		9			1
	8			4			3	
7			2		3			
	5			3		4	8	
		1					6	
9					5			

No 378

	4	3			7	6		
	9				5			
8				3			2	
9	1				8			
		2				3		
			4				6	2
	5			6				4
			1				8	
		8	7			2	1	

No 379

	9	5				7		
4		8						
			2		6		4	
				1				3
	7		8		4		6	
1				3				
	4		3		5			
						5		1
		6				8	9	

No 380

	7		3				8	
3	2			6	5		9	
					1			
		1	2	3				6
5				9	7	4		
			4					
	3		6	5			7	9
	8				9		2	

No 381

			9	1	2			
			6					
	7							8
	8	5						
	2			3			4	
						6	1	
1							9	
					8			
			7	4	5			

No 382

			6	4		7		
			1		7			3
						1	9	4
			9	7		2		
	5						1	
		8		2	4			
9	6	7						
4			8		5			
		5		3	6			

No 383

9						3		
			4	6	5			
					8			
	5	8						
		2		7		6		
						9	1	
			1					
			3	9	2			
		4						8

No 384

5		9			7			6
		2	6				4	5
	4		3				1	
3	6							
		7				2		
							5	8
	2				3		9	
9	1				2	4		
7			4			6		

No 385

			6					1
3		1	5					
	5			9			6	8
4		6	3					2
		5				7		
1					9	6		5
9	8			3			2	
					2	9		7
6					4			

No 386

7					6			4
	2		5			1		
4	3				2	9		
3	8							
		9				5		
							6	2
		4	9				1	7
		2			4		5	
1			6					9

198

No 387

		5			2		4	9
		6	7				2	
9					8			1
2	8							
		7				5		
							3	4
5			8					6
	7				9	2		
1	6		5			9		

No 388

7	6		3					
				1			4	7
	4	2	6			8		
5						9	1	
	7	9						4
		4			7	1	2	
8	1			5				
					9		8	5

No 389

	6				3	4		7
8				2				5
					4		8	
1		3	7					
	9						5	
					8	6		1
	7		2					
2				5				9
3		8	9				2	

No 390

4			1					
		1		6		9		
	2	7	9					1
	7	5	4					
9								6
					2	5	3	
3					7	4	8	
		2		1		6		
					8			2

No 391

			7	5				3
						7	1	2
			3		8		6	
			6	9				8
		4				3		
9				2	1			
	5		2		4			
4	6	1						
2				6	7			

No 392

	6		4					
		3		1			8	
1	2		5					7
	9	6	3					
8								1
					2	8	7	
3					5		9	8
	4			7		2		
					9		3	

No 393

					4		5	
	4				9	3		1
		9		6		4		
					5	2		3
	6						9	
7		2	1					
		6		4		1		
8		5	3				7	
	1		8					

No 394

						9		5
	9		1		7			
8							2	6
				3		4		
	1		9		5		8	
		3		4				
5	2							1
			6		3		9	
6		4						

No 395

	5	4		3			8	
					6			7
	9					3		
			7		5			8
	3			9			5	
1			3		2			
		6					1	
2			8					
	1			5		9	4	

No 396

			4	9		3		
						8	5	9
			8		3			7
		6		1	9			
	2						8	
			5	3		1		
9			6		2			
5	4	3						
		2		7	4			

No 397

		3	4				2	
9					1			6
6		7			3		5	
7		8						
	5						4	
						1		3
	6		5			2		9
2			1					5
	3				6	4		

No 398

	1		2					
7				3		1		
8	5							4
		6		5		9		
			9		2			
		4		1		8		
3							8	5
		1		4				7
					9		2	

No 399

	9	6		7				
			8			9	7	
3			2			1		6
	7					6		8
8		2					3	
1		3			5			9
	2	5			4			
				6		3	2	

No 400

			4			2		
	1			8				9
5						7		6
	8			1			7	
			2		4			
	3			6			4	
7		6						8
9				5			1	
		1			2			

No 401

			7					
6	5						9	
	3		4	6		8	1	
2			9	3		4		
		6		8	1			7
	9	3		4	6		8	
	1						5	4
					2			

No 402

7	9					3		
6				3	4			
			1					
	1			9				7
	6		2		8		3	
8				6			2	
					5			
			4	8				5
		8					7	9

No 403

		8		9		3		4
7						2		
	5				8			
			3		5		7	
		3		4		9		
	6		1		9			
			6				1	
		4						9
8		2		3		6		

No 404

	8	4		3				
5					9		1	8
					7	3	4	
7	9					5		
		3					8	7
	6	9	2					
1	5		6					4
				8		9	5	

No 405

		8					2	
					7			
			5	3	4			
4	7							
	6			9			3	
							8	1
			2	8	6			
			1					
	5					7		

No 406

			7	9		4		
			1					
		6						
3							6	2
7				5				9
4	1							8
						7		
					2			
		8		3	6			

No 407

5					4	2	1	
	6			7			8	
					2			6
					6	5	9	
3								8
	9	4	1					
1			7					
	7			8			3	
	4	6	3					7

No 408

		9			6			
4	2		3				5	
		5			1			9
8	7			1	9			
			6	4			7	5
6			7			5		
	1				3		4	6
			1			7		

No 409

2	1	6						
		5		9	1			
3			8		5			
			2	6		4		
	5						7	
		8		4	3			
			7		6			9
			1	3		6		
						7	2	3

No 410

9			4					5
	8		7					1
						6	3	
	4	9			8			2
			9		1			
2			6			8	9	
	3	4						
8					3		6	
1					4			3

No 411

		6		4			8	
	5				2			
4	3				7			1
	9	5			6			
8								4
			3			8	1	
6			7				9	8
			9				6	
	2			1		3		

No 412

			2		9			6
	5	6						
8	4						7	
				1		3		
7			5		6			9
		1		3				
	9						5	8
						1	4	
6			3		4			

211

No 413

	6		7				8	2
4				5		1		
			2					6
2		3			6			
	8						9	
			1			8		5
3					4			
		6		9				8
1	9				7		5	

No 414

		1	5		6			
	9					3	7	
							6	8
				8				5
		4	7		1	9		
8				5				
1	7							
	6	3					4	
			2		9	1		

No 415

	7			5				1
9		5			3	8		
6					4			
2	6				7			
		1				5		
			9				1	8
			2					7
		7	3			1		2
4				8			9	

No 416

				4	6	9		
6	2		9		1	3		
	8						4	
					3	4		6
	3						2	
1		5	2					
	5						6	
		7	4		5		8	9
		2	6	7				

No 417

3			5		2			
		6				1		4
						7	3	
	8			9				
5			3		7			6
				8			9	
	9	1						
4		7				5		
			1		8			3

No 418

						6	3	
		4			5			2
1					9			7
8					3	1	4	
			2		1			
	1	9	4					8
2			9					6
4			6			3		
	9	6						

No 419

3							8	
					7			
			2	6	5			
8		4						
6				1				9
						5		7
			3	8	9			
			4					
	7							2

No 420

		2		7			6	
3			9			4		8
			4			3		
			6			7	8	
8								1
	5	4			3			
		5			2			
1		6			9			7
	3			1		8		

No 421

			9					
						4		
		6	8	2				
3	5							6
4				7				1
2							8	9
			1	4		3		
		8						
					5			

No 422

8					9	4		
2					5			9
	5	9						
	6	5			8			1
			6		2			
1			4			6	8	
						9	4	
6			5					7
		8	3					2

No 423

9	1		6		8	4		
			9	3		8		
	2						3	
			4			3		9
	4						1	
6		7			1			
	7						9	
		1		5	9			
		5	7		3		2	8

No 424

					7			
		2					9	6
			4	2			7	
8				9			6	
3			1		2			5
	2			3				1
	3			5	4			
9	6					5		
			8					

No 425

	9				5		7	
		8	4					1
		4			7		6	9
							8	5
		7				1		
2	3							
3	4		8			7		
8					1	9		
	6		5				4	

No 426

	5				7			
7				9		8		2
		6						1
	3		4		9			
6				1				9
			6		5		7	
2						3		
9		1		6				8
			8				4	

No 427

					4			
7						2	9	
			5	7		4		
	1			2		9		
	8		3		7		6	
		7		8			3	
		8		6	5			
	2	9						6
			1					

No 428

	8			4	7			
					2			
							9	
9		5				6		
		4		3		7		
		1				8		2
	7							
			5					
			9	6			1	

No 429

		9				7	3	
	2		6		5			
						6		1
1				5				
	4		2		7		9	
				1				5
2		7						
			9		8		2	
	3	6				4		

No 430

							5	
	6			8	7			
					2			
4		9						6
5				3				1
8						7		2
			9					
			5	1			4	
	7							

No 431

4					6			
	1					9		
		6		8		3	7	
			1		4			6
		1		9		8		
5			2		8			
	9	8		1		7		
		3					5	
			7					2

No 432

			5	9		7		
		4						
					4	2		9
	6			4				3
4			7		9			8
3				1			5	
6		7	2					
						8		
		2		8	1			

No 433

			2			5		6
5			3					
1	3			7			2	
2		3			7			5
		9				2		
4			6			3		8
	4			6			1	7
					8			3
9		7			4			

No 434

		8		5		3		
			3				6	
	3		8			2		7
9		1			7			
	5						8	
			6			1		2
4		6			2		9	
	7				4			
		5		3		7		

No 435

5						4		3
							9	7
		9	2		6			
				1			8	
		6	7		9	5		
	1			8				
			1		3	9		
3	8							
7		4						6

No 436

	8			5	7			
							2	
	9	5	2					
7				4		6		
		3	5		8	2		
		6		2				1
					9	1	8	
	3							
			4	3			9	

No 437

	4			5		1		
6			2					
3	8						7	
		2		8		9		
			6		2			
		3		1		5		
	5						3	8
				6				1
		1		7			4	

No 438

2		8				7		
5					3			
		4		6			9	
	2			9			6	
			3		5			
	3			8			1	
	9			7		4		
			5					9
		6				2		8

No 439

					7		8	
2				4			5	6
	1	5			2			
	9	8			5		3	
		1				9		
	2		4			8	7	
			9			3	4	
8	6			5				9
	3		8					

No 440

					7		3	9
4					1			
3		5		6		7		
1	4		6					7
	2						9	
8					3		4	2
		2		3		4		5
			4					8
6	8		2					

No 441

			9	8				3
7								
			2					
		3				5	1	
		4		6		7		
	9	2				8		
					1			
								9
5				4	7			

No 442

			6	3				1
3								
					1		2	8
	9			7		2		
	3		4		8		7	
		5		6			9	
1	4		7					
								7
8				4	5			

No 443

2	9						6	1
		3	5					
	6				4			
			9			8	3	
	3		6		7		4	
	4	5			2			
			3				7	
					8	4		
1	7						2	9

No 444

			3				5	
	6			2		4		
7			8				9	2
			4			5	1	
2								6
	7	6			9			
6	1				8			4
		9		7			3	
	4				1			

No 445

		7	8				5	2
8				6				7
			7			4		
1	9				5			
		6				8		
			4				2	1
		5			3			
6				7				5
4	3				2	9		

No 446

			4					8
		7			5			
	8	9				7	2	
			9			3		6
		3	7		1	5		
4		5			8			
	2	1				8	9	
			3			1		
9					6			

No 447

	3		5			6	9	
					4			7
		7			1			3
	8	3	4	6				
			1	7	2	8		
3			8			4		
8			1					
	6	4			5		1	

No 448

					7			3
5				8		9		
	3				2		1	7
					9	1		8
	1						4	
7		6	3					
9	4		2				8	
		3		4				1
6			5					

No 449

		2				6		
			1	6			5	
1		8	3		5		7	
			7				6	1
		7				8		
3	9				8			
	4		9		6	2		5
	8			4	1			
		9				1		

No 450

			4					
		8					6	
			9	5	1			
						5		4
		1		3		2		
7		6						
			8	2	7			
	5					9		
					6			

230

No 451

			9				6	5
				7	3			9
7								
		4		3			1	
	7		5		2		8	
	1			8		6		
								8
5			4	2				
9	2				8			

No 452

5						2	8	
			1					
				5	4		1	
		7		8			2	
		6	5		3	9		
	5			6		3		
	6		4	9				
					7			
	2	8						9

7	4		6			1		
	6		9				7	
2					1	3		
9	3							
		2				6		
							5	8
		7	2					3
	1				9		4	
		6			3		1	5

No 454

7				5				9
		4			8		1	2
					1	7		
3	8		2					
		6				9		
					7		4	3
		2	5					
8	7		6			5		
5				9				6

No 455

		1			5			
	4	2			3		6	
9				4		8		
			2			6		8
	8						4	
1		7			9			
		5		6				2
	9		3			7	8	
			7			9		

No 456

					2	3		
		7		1			9	
6					5	4		1
					9	8	3	
1								7
	7	6	4					
7		8	5					9
	4			6		2		
		9	8					

No 457

7		4						
	3		6			1		
	5		2				8	
1		8	7				9	
			8		3			
	9				1	2		8
	4				2		3	
		7			4		1	
						4		2

No 458

		4			8		9	
					7		4	
9			6			3		2
				8	4	5		1
1		9	7	3				
3		7			6			8
	1		8					
	9		1			7		

No 459

4					8			2
1		2			4		7	
		6	7				3	
						9		5
	6						4	
3		8						
	2				6	3		
	4		3			5		7
7			8					1

No 460

		4					8	
			2					
			1	9	7			
1	2							
	3			6			9	
							4	5
			3	4	8			
					5			
	7					2		

No 461

4	5		8					
				5			4	3
1		3	6			9		
3		8					5	
	9					8		6
		4			2	1		9
9	6			3				
					7		6	2

No 462

7			2					8
	9	4						
1			5				6	
	8	6	4					3
			8		1			
3					6	8	2	
	4				9			6
						2	9	
9					2			1

No 463

					2			7
	9	5		6			3	
	3					8		
			7		4			3
	6			5			4	
2			6		1			
		4					5	
	2			4		9	6	
1			8					

No 464

	8				6		2	
3		1						
	7				9	4		
	5		4			6		2
			7		2			
4		2			3		5	
		3	1				4	
						1		6
	1		6				7	

No 465

	8	3					4	
	5			9				2
		2			1			
6				3				7
			1		7			
4				2				8
			7			1		
2				4			5	
	9					8	3	

No 466

					8			9
		3		5			6	
	7						4	2
		1		4		8		
			8		9			
		5		3		2		
4	2						5	
	6			7		3		
3			9					

No 467

		3		5		1	9	
2					6			
	5					8		
3			2		1			
		1		8		5		
			5		7			4
		4					6	
			3					7
	8	9		1		4		

No 468

	3		2					
		4		6		5		7
6						8		
			9		6		1	
		5		8		6		
	4		5		3			
		1						2
8		7		5		1		
					4		9	

No 469

		4	6					
7				9			5	3
	2							7
		7	8		4			
8				5				9
			1		9	6		
5							8	
9	3			8				6
					2	1		

No 470

					7		9	4
4	1			2				
		5			9	6	1	
1						3	4	
	2	3						8
	6	2	4			1		
				8			2	5
8	5		3					

No 471

	5		2				9	8
7				9		6		
			4					1
			6			1		3
	9						7	
5		7			8			
6					3			
		8		5				4
3	7				2		6	

No 472

			8	5	7			
3						6		
					9			
						3	2	
		4		1		5		
	7	9						
			2					
		8						9
			6	3	4			

No 473

			5			2		4
		3						
				3	6	5		
	9			6				1
3			2		7			8
1				8			4	
		2	9	7				
						8		
7		5			8			

No 474

		9				3		
8		5	4		3		7	
			9	7			2	
			2				3	1
		2				6		
9	4				6			
	8			4	9			
	6		8		1	2		9
		4				5		

No 475

6		4						9
5				8			3	
		3			1			
	9			3			6	
			1		2			
	7			4			2	
			2			1		
	3			9				5
8						6		4

No 476

7				6	8			
4		2					6	
			5					
		5		2				4
		7	9		1	6		
1				7		9		
					3			
	1					4		2
			8	1				3

No 477

			3	8	7			
					9			
	6					5		
1	5							
	8			4			2	
							9	7
		9					3	
			1					
			6	5	2			

No 478

						9	8	
		5			3			1
6					2			4
7					8	6	5	
			1		6			
	6	2	5					7
1			2					9
5			9			8		
	2	9						

No 479

						3		1
					6	7	9	
				7		4		
8					4		5	7
	1		6		9		3	
2	5		3					9
		5		2				
	2	9	8					
3		4						

No 480

						2	8	
2			1		9			
	5						4	3
				7		6		
9			8		2			5
		7		6				
3	8						9	
			7		4			2
	4	6						

No 481

		6	8					
2				9		4		
	9	3	1				5	
6		7	2					
	4						9	
					3	5		4
	2				1	7	4	
		8		5				3
					7	2		

No 482

			4				8	
9						1		
5		6		7				4
	1		8		5			
7				6				5
			7		3		2	
2				5		4		9
		7						6
	3				2			

No 483

	3					9		
			7	8	6			
			5					
						3		4
		2		1		6		
5		8						
					3			
			9	2	4			
		7					8	

No 484

8	4		3			5		
	6		1				4	
3					2	9		
7	8							
		5				2		
							3	1
		3	4					2
	9				1		5	
		4			5		6	9

No 485

	6						3	8
						1	9	
5			7		9			
				1		7		
2			3		5			6
		1		7				
			4		6			5
	3	5						
8	9						2	

No 486

5		6	1					
		2		5	8			
						1		
	8			9				4
7			5		2			1
4				1			3	
		7						
			9	7		6		
					6	2		3

No 487

		1	4					
	8	3		7			9	
			9			2		3
1		4			7	9		
5								2
		6	3			5		1
6		7			5			
	5			3		8	1	
					1	6		

No 488

	8				1	7		
2			9					6
6	4		8			3		
4	5							
		3				1		
							9	8
		6			3		7	2
7					9			3
		8	6				1	

No 489

					8	9		
6		2			4			
	4			1		6	5	
		4	1			8		9
2								7
9		7			6	3		
	9	5		6			7	
			7			1		3
		3	9					

No 490

							4	1
	7		4			9		
		4	1			5		
9	8				7	6		
			5		8			
		6	9				1	8
		2			1	8		
		5			3		9	
7	4							

250

No 491

6		1			4			
5	3				2		8	
				1		6		3
3	4					1		
		8					4	2
8		2		3				
	6		7				5	8
			9			2		7

No 492

			1		6	2		
				9	5			6
						7	5	4
3			7	4				
	8						6	
				3	2			1
8	7	2						
4			5	2				
		9	8		4			

251

No 493

3								
			5	9				7
			8					
	7	8					2	
	5			6			9	
	1					3	4	
					4			
2				1	3			
								5

No 494

		4	6				7	8
7			2					6
		1			4	5		
							2	1
		6				5		
9	3							
	1		5			7		
8					2			4
4	9				1	6		

No 495

	2	8			9			
					6		7	
9				3			8	1
	4	7			8		5	
		2				4		
	9		3			7	6	
7	1			8				4
	5		7					
			4			5	3	

No 496

				9	8	4		
						5	8	1
			7		4			6
				2	6	7		
	3						4	
		2	1	5				
9			3		5			
6	1	3						
		5	8	6				

253

No 497

				2			5	
							4	7
			9			2	6	
3		5			4			9
		7	1		6	8		
6			7			5		2
	3	6			1			
8	7							
	4			3				

No 498

		1	2	9				
7			6		1			
9	3	6						
		8	3	1				
	6						4	
				8	9	5		
						1	2	3
			5		4			9
				7	2	4		

No 499

2				8	1			
6	7					8		
			5					
	5			7				6
	2		4		9		8	
9				2			4	
				3				
		9					6	7
			1	9				3

No 500

							1	4
					7	6		9
			9					3
	2	8	4				6	
		1	7		6	4		
	5				3	8	9	
8				2				
6		2	5					
3	4							

No 501

			4			8		
6				5				4
		4	6				3	7
			8				7	9
		5				6		
9	1				3			
8	2				7	1		
5				4				3
		3			2			

No 502

	2			8			7	4
			5					3
1		4	2					
2					8	3		5
		1					6	
6		3	4					9
					6	9		8
9					3			
7	3			4			6	

No 503

			8		3	7		
	1	2					6	
7	9							
				4				5
		6	9		7	3		
4				5				
							1	4
	3					2	9	
		7	5		1			

No 504

		5		1	4			
		1	2		7		8	9
2								4
			6			7	4	
6								5
	3	2			5			
9								7
5	4		3		8	6		
			4	7		8		

No 505

	2	5		8			9	
		4			3			
				9	6			5
		7			5	1		4
1								6
4		3	8			9		
7		8	1					
			4			7		
	1			5		2	4	

No 506

					7			
			8	1	3			
4							5	
	1	7						
	6			2			8	
						9	4	
	3							1
			9	6	5			
			4					

No 507

5		9			1			8
	3			5		2		
		4			7			
			9			8	2	
2								5
	4	6			3			
			6			3		
		7		8			9	
3			1			6		2

No 508

	9				5	8		
4			2				9	1
				4	5			
			1	9			8	5
5	3		7	4				
		7	9					
6	1				2			8
		8	4				7	

No 509

		1			5		2	
6	2		3					4
		5			4			
			9	4			8	5
5	1			6	2			
			2			9		
1					3		6	7
	9		4			1		

No 510

	9			5			7	1
6							2	
		3	9					
			3		7	6		
	7			1			5	
		8	5		4			
					8	4		
	1							5
9	2			7			8	

No 511

			9	6				1
5								
			8					
	8	9					6	
	4			2			5	
	1					7	3	
				7				
								9
3				4	5			

No 512

		5						4
					7			
			9	1	6			
							2	5
3				8				1
7	6							
			4	5	3			
			2					
9						7		

No 513

								9
3				9	2			
4		1	3					
		7		2			5	
		6	4		8	9		
	1			6		7		
					6	8		3
			5	8				4
6								

No 514

	3			4				1
					9		5	
		6			7	4	8	
					1		2	5
		4				3		
3	6		8					
	2	3	7			1		
	1		2					
8				6			9	

No 515

			1					
	5		6	2				
							9	
9		3				4		
		2		7		6		
		8				5		1
	6							
				4	9		8	
					3			

No 516

		9		6		4	5	
3					9			
	2					8		
			2		3			9
		2		8		6		
1			7		6			
		4					1	
			5					7
	8	6		2		5		

No 517

	2			3				9
					6		8	
		8			5	7	6	
1	6		8					
		7				4		
					9		3	7
	9	4	5			3		
	1		2					
8				4			7	

No 518

					4		6	8
							9	3
				6				2
	2	5	3			4		
	9		8		1		7	
		8			9	6	2	
3				5				
9		7						
5	8		1					

No 519

				3		2		7
2	1				6			
	7					5		
	4		1					
9		2		5		3		1
					9		8	
		8					2	
			4				9	5
5		7		2				

Spare Grid

				3		2		7
2	1				6			
	7					5		
	4		1					
9		2		5		3		1
					9		8	
		8					2	
			4				9	5
5		7		2				

No 520

7								
			6	9			4	
5		1		2				
	6		4					
2	1			7			6	8
					3		9	
				8		7		2
	3			5	1			
								5

Spare Grid

7								
			6	9			4	
5		1		2				
	6		4					
2	1			7			6	8
					3		9	
				8		7		2
	3			5	1			
								5

No 521

Spare Grid

No 522

					3	6		
	2			5	4			3
1						8		
			9					
4								7
					6			
		8						5
2			7	1			4	
		9	8					

Spare Grid

					3	6		
	2			5	4			3
1						8		
			9					
4								7
					6			
		8						5
2			7	1			4	
		9	8					

No 523

Spare Grid

No 524

	5			8				
	7					3		
			2				9	
		9				1		
3				7				6
		2				8		
	1				3			
		4					2	
				6			5	

Spare Grid

	5			8				
	7					3		
			2				9	
		9				1		
3				7				6
		2				8		
	1				3			
		4					2	
				6			5	

No 525

	8			3		7		
9			5			8		
3				8				5
	2		9				1	
			4		5			
	6				7		5	
6				7				1
		9			3			7
		8		9			2	

Spare Grid

	8			3		7		
9			5			8		
3				8				5
	2		9				1	
			4		5			
	6				7		5	
6				7				1
		9			3			7
		8		9			2	

271

No 526

		6						
							2	3
	8			5		1		
					3	6		1
		9				8		
2		5	7					
		4		6			9	
7	2							
						4		

Spare Grid

		6						
							2	3
	8			5		1		
					3	6		1
		9				8		
2		5	7					
		4		6			9	
7	2							
						4		

No 527

7								
	5		8					6
			2		9	4		
	8						2	
1				4				7
	3						5	
		9	6		5			
4					7		1	
								3

Spare Grid

7								
	5		8					6
			2		9	4		
	8						2	
1				4				7
	3						5	
		9	6		5			
4					7		1	
								3

No 528

			4	8				7
	3	5		9				
	1							
2			6					
5	9			1			3	4
					7			8
							2	
				3		1	5	
6				2	8			

Spare Grid

			4	8				7
	3	5		9				
	1							
2			6					
5	9			1			3	4
					7			8
							2	
				3		1	5	
6				2	8			

No 529

							6	
7		2	3		1			
				5		9		
								1
	5			4			8	
3								
		8		9				
			7		2	8		3
	4							

Spare Grid

							6	
7		2	3		1			
				5		9		
								1
	5			4			8	
3								
		8		9				
			7		2	8		3
	4							

No 530

2		6		3				
	3			9	8		7	
		9						
	4				7			
		3		2		6		
			1				5	
						2		
	1		5	4			6	
				6		9		8

Spare Grid

2		6		3				
	3			9	8		7	
		9						
	4				7			
		3		2		6		
			1				5	
						2		
	1		5	4			6	
				6		9		8

No 531

1	6		9					
9		2			3			
8				1				
			6	2		4	9	
		6				5		
	3	9		8	7			
				4				8
			5			3		1
					1		7	2

Spare Grid

1	6		9					
9		2			3			
8				1				
			6	2		4	9	
		6				5		
	3	9		8	7			
				4				8
			5			3		1
					1		7	2

No 532

								4
1						2		
	6	4	9	1		7		
	1			6			5	7
				8				
8	7			3			4	
		5		7	3	1	6	
		1						9
2								

Spare Grid

								4
1						2		
	6	4	9	1		7		
	1			6			5	7
				8				
8	7			3			4	
		5		7	3	1	6	
		1						9
2								

No 533

			9			2	8	
				3		5		
					2	6		1
			7	6			3	4
	7						9	
8	4			5	1			
7		2	4					
		5		2				
	6	4			8			

Spare Grid

			9			2	8	
				3		5		
					2	6		1
			7	6			3	4
	7						9	
8	4			5	1			
7		2	4					
		5		2				
	6	4			8			

No 534

		4		3			7	
1		6			5			
				4			1	8
					6	5		
	2			7			4	
		9	3					
7	4			2				
			8			3		4
	1			6		7		

Spare Grid

		4		3			7	
1		6			5			
				4			1	8
					6	5		
	2			7			4	
		9	3					
7	4			2				
			8			3		4
	1			6		7		

No 535

				5			7	
			3			2	5	
					4		3	8
				7	6	4		3
1								2
9		3	2	8				
4	5		1					
	8	6			5			
	7			9				

Spare Grid

				5			7	
			3			2	5	
					4		3	8
				7	6	4		3
1								2
9		3	2	8				
4	5		1					
	8	6			5			
	7			9				

A 9×9 Sudoku grid with the following given values (row by row, left to right):

- Row 1: _, 3, _, _, 7, _, _, _, 5
- Row 2: _, 5, _, _, _, 4, 2, _, _
- Row 3: _, _, 4, _, 5, _, 7, _, _
- Row 4: 4, _, _, 3, _, _, _, _, 9
- Row 5: _, _, _, 4, _, 6, _, _, _
- Row 6: 8, _, _, _, _, 2, _, _, 1
- Row 7: _, _, 8, _, 3, _, 9, _, _
- Row 8: _, _, 3, 7, _, _, _, 2, _
- Row 9: 1, _, _, _, 2, _, _, 5, _

Spare Grid

A 9×9 Sudoku grid identical to the puzzle above:

- Row 1: _, 3, _, _, 7, _, _, _, 5
- Row 2: _, 5, _, _, _, 4, 2, _, _
- Row 3: _, _, 4, _, 5, _, 7, _, _
- Row 4: 4, _, _, 3, _, _, _, _, 9
- Row 5: _, _, _, 4, _, 6, _, _, _
- Row 6: 8, _, _, _, _, 2, _, _, 1
- Row 7: _, _, 8, _, 3, _, 9, _, _
- Row 8: _, _, 3, 7, _, _, _, 2, _
- Row 9: 1, _, _, _, 2, _, _, 5, _

No 537

				9			8	
9						1		
5			2					
6								5
		1	4			7		
3								2
					5			6
		9						3
	4		7					

Spare Grid

				9			8	
9						1		
5			2					
6								5
		1	4			7		
3								2
					5			6
		9						3
	4		7					

No 538

					7	6		
2	9			3				
5								
		8	3		1			
3				5				2
			6		2	4		
								8
				2			5	9
		1	4					

Spare Grid

					7	6		
2	9			3				
5								
		8	3		1			
3				5				2
			6		2	4		
								8
				2			5	9
		1	4					

No 539

						8		
	1			4				5
3			9		2		4	
1	9			2	6	4		
		6	4	5			1	9
	4		1		3			7
9				7			6	
		8						

Spare Grid

						8		
	1			4				5
3			9		2		4	
1	9			2	6	4		
		6	4	5			1	9
	4		1		3			7
9				7			6	
		8						

No 540

9				3				
			8					7
1						5		
		7				6		
	5			1			2	
		8				3		
		4						8
6					5			
				2				9

Spare Grid

9				3				
			8					7
1						5		
		7				6		
	5			1			2	
		8				3		
		4						8
6					5			
				2				9

No 541

						9		
				3		2	6	
1			5					
			8		3			5
		4		6		3		
9			4		1			
					7			8
	2	3		4				
		6						

Spare Grid

						9		
				3		2	6	
1			5					
			8		3			5
		4		6		3		
9			4		1			
					7			8
	2	3		4				
		6						

No 542

Spare Grid

No 543

7		9		3		1	5	
		1						
					5		6	
	5				8			
		3		7		4		
			6					1
	8		2					
						7		
	1	5		4		3		9

Spare Grid

7		9		3		1	5	
		1						
					5		6	
	5				8			
		3		7		4		
			6					1
	8		2					
						7		
	1	5		4		3		9

No 544

	1						3	
		2			4			8
	3	9	6				1	
		7	9	8				
	4						2	
				2	1	6		
	6				5	4	7	
7			3			1		
	5						9	

Spare Grid

	1						3	
		2			4			8
	3	9	6				1	
		7	9	8				
	4						2	
				2	1	6		
	6				5	4	7	
7			3			1		
	5						9	

No 545

		6						
			2		7		9	
3			4			8		
2								6
		4		8		3		
5								1
		7			1			2
	8		9		5			
						4		

Spare Grid

		6						
			2		7		9	
3			4			8		
2								6
		4		8		3		
5								1
		7			1			2
	8		9		5			
						4		

No 546

1						6		
4					9			
				7			5	
9								4
		7		5		8		
2								1
	3			6				
		2						9
		8						6

Spare Grid

1						6		
4					9			
				7			5	
9								4
		7		5		8		
2								1
	3			6				
		2						9
		8						6

No 547

	3	5		6		1	7	
9								
			9			4		8
		3			7			6
			2		8			
1			4			5		
7		6			5			
								2
	4	9		8		7	1	

Spare Grid

	3	5		6		1	7	
9								
			9			4		8
		3			7			6
			2		8			
1			4			5		
7		6			5			
								2
	4	9		8		7	1	

No 548

								1
	9	8		3		2	4	
5		7	1					
		2	7					8
			6		5			
3					9	4		
					2	3		9
	8	9		5		1	7	
6								

Spare Grid

								1
	9	8		3		2	4	
5		7	1					
		2	7					8
			6		5			
3					9	4		
					2	3		9
	8	9		5		1	7	
6								

No 549

	1			5	7			8
		4			1			
		9					2	
					4			
	3						7	
			6					
	5					9		
			9			6		
7			3	2			8	

Spare Grid

	1			5	7			8
		4			1			
		9					2	
					4			
	3						7	
			6					
	5					9		
			9			6		
7			3	2			8	

No 550

9				3		5		
					4			1
	1				8		6	4
4		7	1					
	6						2	
					5	6		3
5	2		8				3	
7			9					
		1		2				6

Spare Grid

9				3		5		
					4			1
	1				8		6	4
4		7	1					
	6						2	
					5	6		3
5	2		8				3	
7			9					
		1		2				6

No 551

		1						
	5			9		4		
							2	8
2		9			3			
		6				5		
			8			1		4
3	2							
		7		1			6	
						7		

Spare Grid

		1						
	5			9		4		
							2	8
2		9			3			
		6				5		
			8			1		4
3	2							
		7		1			6	
						7		

No 552

3			8				2	
	4	8				6		
			9		3	5		
		2						
		6	5	1	7	8		
						7		
		5	6		8			
		3				9	6	
	6				1			4

Spare Grid

3			8				2	
	4	8				6		
			9		3	5		
		2						
		6	5	1	7	8		
						7		
		5	6		8			
		3				9	6	
	6				1			4

No 553

	5		6	2			1	
9		4		5				
2								
	7		1					
5				4				9
					3		8	
								4
				9		6		2
	3			7	8		9	

Spare Grid

	5		6	2			1	
9		4		5				
2								
	7		1					
5				4				9
					3		8	
								4
				9		6		2
	3			7	8		9	

No 554

	6		1					
		9				3		5
				8		4		7
			6				9	
7				4				8
	3				2			
5		1		7				
4		3				8		
					3		2	

Spare Grid

	6		1					
		9				3		5
				8		4		7
			6				9	
7				4				8
	3				2			
5		1		7				
4		3				8		
					3		2	

No 555

	1	9		7			2	3
							1	
		4	9					
			8			9		
	5			3			7	
		1			4			
					6	8		
	3							
2	7			5		1	9	

Spare Grid

	1	9		7			2	3
							1	
		4	9					
			8			9		
	5			3			7	
		1			4			
					6	8		
	3							
2	7			5		1	9	

No 556

		1	2		3			
5	2						3	
						5		8
			9	6				3
	5	9				4	8	
4				3	5			
9		8						
	7						4	9
			1		7	8		

Spare Grid

		1	2		3			
5	2						3	
						5		8
			9	6				3
	5	9				4	8	
4				3	5			
9		8						
	7						4	9
			1		7	8		

No 557

				7		6	1	5
							8	
		6			4			
					9	4		
	2			5			7	
		8	6					
			3			9		
	5							
1	7	9		2				

Spare Grid

				7		6	1	5
							8	
		6			4			
					9	4		
	2			5			7	
		8	6					
			3			9		
	5							
1	7	9		2				

No 558

		9				5		
1					6		3	
		5	7			9	8	
	7			3	5			
		3				6		
			8	1			2	
	6	2			4	7		
	5		9					2
		8				4		

Spare Grid

		9				5		
1					6		3	
		5	7			9	8	
	7			3	5			
		3				6		
			8	1			2	
	6	2			4	7		
	5		9					2
		8				4		

No 559

Spare Grid

No 560

	6				5		2	
3		4	6					
1								
			2				1	
6	8			4			3	7
	5				9			
								4
				7		3		6
	9		8				7	

Spare Grid

	6				5		2	
3		4	6					
1								
			2				1	
6	8			4			3	7
	5				9			
								4
				7		3		6
	9		8				7	

No 561

			9	11	6		10			1	8				
8	4					15				16		13			7
16	7				2	12			15			9	11		
11	3			13	7			14			9				2
	11						3	4		7		5		6	1
			10	9	8			5	1		2			15	13
1		16	5		4	14							10		
	2	15	7	1	12										
9		13			16				12	4					
	6	1	4	15	11	5		7			16	10	13		
	12					7			14	5			1		
2				3		8		1	13			11	12	4	15
	9				13	10	4			6			14		
	16		6			11	8		9				7		12
12			14					8	16		11			3	
7		3		2	15						14		9	11	

Spare Grid

			9	11	6		10			1	8				
8	4					15				16		13			7
16	7				2	12			15			9	11		
11	3			13	7			14			9				2
	11						3	4		7		5		6	1
			10	9	8			5	1		2			15	13
1		16	5		4	14							10		
	2	15	7	1	12										
9		13			16				12	4					
	6	1	4	15	11	5		7			16	10	13		
	12					7			14	5			1		
2				3		8		1	13			11	12	4	15
	9				13	10	4			6			14		
	16		6			11	8		9				7		12
12			14					8	16		11			3	
7		3		2	15						14		9	11	

No 562

1		16			4				9				11	13	3
8	9		12	7			3		15	16	10	6			
14			6	12	2	9					7		16		
	13	11	7	10	16		1			4			2		8
10			1				6				8				7
12		9		3	13	11		10	16	15	1			4	
	4	5		8						13			15		10
			3	1			10	6	4	5				2	12
15	1	10			6	14	5	9	8		2	11			
	8		2	11	7	3	13						6	14	5
	14	6	4				9	13	3	7		16		1	
	3	7			10				14		4	2		8	
			15	5		6		2				9	13		7
2	12	8	9	13		7				1	15		14		4
		14			8		2		7	3		15			16
11			13	15		10					5		8	12	

Spare Grid

1		16			4				9				11	13	3
8	9		12	7			3		15	16	10	6			
14			6	12	2	9					7		16		
	13	11	7	10	16		1			4			2		8
10			1				6				8				7
12		9		3	13	11		10	16	15	1			4	
	4	5		8						13			15		10
			3	1			10	6	4	5				2	12
15	1	10			6	14	5	9	8		2	11			
	8		2	11	7	3	13						6	14	5
	14	6	4				9	13	3	7		16		1	
	3	7			10				14		4	2		8	
			15	5		6		2				9	13		7
2	12	8	9	13		7				1	15		14		4
		14			8		2		7	3		15			16
11			13	15		10					5		8	12	

No 563

		9	15			8	14	2	1					3	7
	2	1		12					11			16			8
7		6		9	11	10		8	13	16	15			2	
8			15				14				12				5
10			11	16		8					1		12	7	
		4			12		3		5	9		16			13
3	7	12	6	11		5				15	16		4		2
			16	1		14		3			6	11		5	
	11	10	5	8	13		15			2			3		12
4			14	7	3	6					5		13		
12	6		7	5			9		16	13	8	14			
15		13			2				6				10	11	9
	9	5			8				4		2	3		12	
	4	14	2				6	11	9	5		13		15	
	12		3	10	5	9	11						14	4	1
16	15	8			14	4	1	6	12		3	10			

Spare Grid

		9	15			8	14	2	1					3	7
	2	1		12					11			16			8
7		6		9	11	10		8	13	16	15			2	
8			15				14				12				5
10			11	16		8					1		12	7	
		4			12		3		5	9		16			13
3	7	12	6	11		5				15	16		4		2
			16	1		14		3			6	11		5	
	11	10	5	8	13		15			2			3		12
4			14	7	3	6					5		13		
12	6		7	5			9		16	13	8	14			
15		13			2				6				10	11	9
	9	5			8				4		2	3		12	
	4	14	2				6	11	9	5		13		15	
	12		3	10	5	9	11						14	4	1
16	15	8			14	4	1	6	12		3	10			

No 564

	5						4		8		9				1
6	2	16		8		3			15	12	9		14	5	
		14		12					1		7		16		
10		13		1	6	2	9	11				12			8
		6			14	8		13	9			5			
8	14				11			2	10				7	4	
2	15		3							4	12		13		
	11	1		2		4		5	14						6
							10	1			7		13	2	5
11	6			4			2	14		10				7	
	8	3	9	7				4			15				
		2	13	14	1			5		15					4
12	1							11	6	14					
	9	7				3	12		5	16					
4	13			8		6				3		16	11	12	
		10		12	16	15		2				14	9		

Spare Grid

	5						4		8		9				1
6	2	16		8		3			15	12	9		14	5	
		14		12					1		7		16		
10		13		1	6	2	9	11				12			8
		6			14	8		13	9			5			
8	14				11			2	10				7	4	
2	15		3							4	12		13		
	11	1		2		4		5	14						6
							10	1			7		13	2	5
11	6			4			2	14		10				7	
	8	3	9	7				4			15				
		2	13	14	1			5		15					4
12	1							11	6	14					
	9	7				3	12		5	16					
4	13			8		6				3		16	11	12	
		10		12	16	15		2				14	9		

No 565

	7	8	11			10	12	9		2	5	14			
13	15		12				11		16	1				2	
	2	3			1				10	15	13	11		7	6
			14	5		3	9	11	8						13
	8	7		12		15				3		4	1		14
	10					7	6	4			14	5			
9	3		5	14				13	15			6	7	8	11
		1				2			7	8				10	
			7	10	12			2			3			14	16
		13		8	11			1		14	16	2	5		3
3	9	5	2	16		4	1			12	10				
16		4	1		9			7	6		8		13	12	10
7	6			15			10			9	5			4	
		12	10		6	11		16				3			2
2	5					14	16	10	12	13	15	8		6	
1	4			2	5					6			12	13	

Spare Grid

	7	8	11			10	12	9		2	5	14			
13	15		12				11		16	1				2	
	2	3			1				10	15	13	11		7	6
			14	5		3	9	11	8						13
	8	7		12		15				3		4	1		14
	10					7	6	4			14	5			
9	3		5	14				13	15			6	7	8	11
		1				2			7	8				10	
			7	10	12			2			3			14	16
		13		8	11			1		14	16	2	5		3
3	9	5	2	16		4	1			12	10				
16		4	1		9			7	6		8		13	12	10
7	6			15			10			9	5			4	
		12	10		6	11		16				3			2
2	5					14	16	10	12	13	15	8		6	
1	4			2	5					6			12	13	

No 566

	7	11			16				1	15	12	9		6	2
	6	4	9			1	10	5		7	13	14			
			14	13		11	5	9	4						12
12	15		10				9		3	16				7	
5	11		13	14				12	15			2	6	4	9
	4	6		10		15				11		8	16		14
		16				7			6	4				1	
	1					6	2	8			14	13			
11	5	13	7	3		8	16			10	1				
			6	1	10			7			11			14	3
3		8	16		5			6	2		4		12	10	1
		12		4	9			16		14	3	7	13		11
7	13				14	3	1	10	12	15	4		2		
6	2		15			1		5	13				8		
16	8		7	13					2			10	12		
		10	1		2	9		3				11			7

Spare Grid

	7	11			16				1	15	12	9		6	2
	6	4	9			1	10	5		7	13	14			
			14	13		11	5	9	4						12
12	15		10				9		3	16				7	
5	11		13	14				12	15			2	6	4	9
	4	6		10		15				11		8	16		14
		16				7			6	4				1	
	1					6	2	8			14	13			
11	5	13	7	3		8	16			10	1				
			6	1	10			7			11			14	3
3		8	16		5			6	2		4		12	10	1
		12		4	9			16		14	3	7	13		11
7	13				14	3	1	10	12	15	4		2		
6	2		15			1		5	13				8		
16	8		7	13					2			10	12		
		10	1		2	9		3				11			7

No 567

			10		12	16	15		2			14	9		
4	13				8		6				3		16	11	12
	9	7					3	12		5	16				
12	1							11	6	14					
		2	13	14	1			5		15					4
11	6			4			2	14		10				7	
	8	3	9	7				4			15				
						10	1			7		13	2	5	
	11	1		2		4		5	14						6
8	14			11			2	10				7	4		
2	15		3							4	12		13		
	6			14	8		13	9			5				
10		13		1	6	2	9	11				12			8
	14		12				1			7		16			
6	2	16		8		3		15	12	9		14	5		
	5					4			8		9				1

Spare Grid

			10		12	16	15		2			14	9		
4	13				8		6				3		16	11	12
	9	7					3	12		5	16				
12	1							11	6	14					
		2	13	14	1			5		15					4
11	6			4			2	14		10				7	
	8	3	9	7				4			15				
						10	1			7		13	2	5	
	11	1		2		4		5	14						6
8	14			11			2	10				7	4		
2	15		3							4	12		13		
	6			14	8		13	9			5				
10		13		1	6	2	9	11				12			8
	14		12				1			7		16			
6	2	16		8		3		15	12	9		14	5		
	5					4			8		9				1

No 568

		15		12	16	9		1	2		14	4		6	7
1	2		14					3	10	15	11	12	16		
		5	4	11		10	3		9			14	8		1
		16	12	14	8			7				11			3
15	11		10	9				8						4	5
		1		6	7		5		11	3		9	13	12	
5					3			16		13	9		1	14	
16	12						8	5	4	7		10	3		15
		10	3		9	16				2	1		6		
14	8				6		4			10	3	13	9	16	12
	5	6		3			11	12	16						14
12			13		2					6	7		10	15	
	3				12				1				4	7	
		8	5	4	7	6	10			11	15			13	9
6	7						10			12		8			2
	13		16	8		1	2		7	4			11		

Spare Grid

		15		12	16	9		1	2		14	4		6	7
1	2		14					3	10	15	11	12	16		
		5	4	11		10	3		9			14	8		1
		16	12	14	8			7				11			3
15	11		10	9				8						4	5
		1		6	7		5		11	3		9	13	12	
5					3			16		13	9		1	14	
16	12						8	5	4	7		10	3		15
		10	3		9	16				2	1		6		
14	8				6		4			10	3	13	9	16	12
	5	6		3			11	12	16						14
12			13		2					6	7		10	15	
	3				12				1				4	7	
		8	5	4	7	6	10			11	15			13	9
6	7						10			12		8			2
	13		16	8		1	2		7	4			11		

No 569

	14		8	16		7	11		5	4			15		
12	5						3			2		16			11
			16	10	4	5	12	3		15	1			14	6
	9				2				7				4	5	
2			14		11					12	5		3	1	
	10	12		9			15	2	8						13
13	16				12		4			3	9	14	6	8	2
		3	9		6	8				11	7		12		
8	2						16	10	4	5		3	9		1
10					9			8		14	6		7	13	
		7		12	5		10		15	9		6	14	2	
1	15		3	6			16							4	10
		8	2	13	16			5				15			9
		10	4	15		3	9		6			13	16		7
7	11		13					9	3	1	15	2	8		
		1		2	8	6		7	11		13	4		12	5

Spare Grid

	14		8	16		7	11		5	4			15		
12	5						3			2		16			11
			16	10	4	5	12	3		15	1			14	6
	9				2				7				4	5	
2			14		11					12	5		3	1	
	10	12		9			15	2	8						13
13	16				12		4			3	9	14	6	8	2
		3	9		6	8				11	7		12		
8	2						16	10	4	5		3	9		1
10					9			8		14	6		7	13	
		7		12	5		10		15	9		6	14	2	
1	15		3	6			16							4	10
		8	2	13	16			5				15			9
		10	4	15		3	9		6			13	16		7
7	11		13					9	3	1	15	2	8		
		1		2	8	6		7	11		13	4		12	5

No 570

	2						5			10		9	16		6
		5				2	12	8		3			4		7
7		12	4		8	10			15						
10				15	3				7	5		11		14	
	16	8		9	5							12			
12			3	13		16	2			9	6	7		11	1
1	10						8			13					3
		9	13		14			11	16	8	7			15	4
	3		16				7	13	2		1		15		
14		13	1			6		9	11			4		5	
				12	13	1			6			16			10
				11		3	14					8		13	
4	13					5						2	6	7	
	12				4		16	3			9				11
		11			12		3			7	5	14			8
5			10		7		15	14				3		9	

Spare Grid

	2						5			10		9	16		6
		5				2	12	8		3			4		7
7		12	4		8	10			15						
10				15	3				7	5		11		14	
	16	8		9	5							12			
12			3	13		16	2			9	6	7		11	1
1	10						8			13					3
		9	13		14			11	16	8	7			15	4
	3		16				7	13	2		1		15		
14		13	1			6		9	11			4		5	
				12	13	1			6			16			10
				11		3	14					8		13	
4	13					5						2	6	7	
	12				4		16	3			9				11
		11			12		3			7	5	14			8
5			10		7		15	14				3		9	

Blank Work-Out Grids

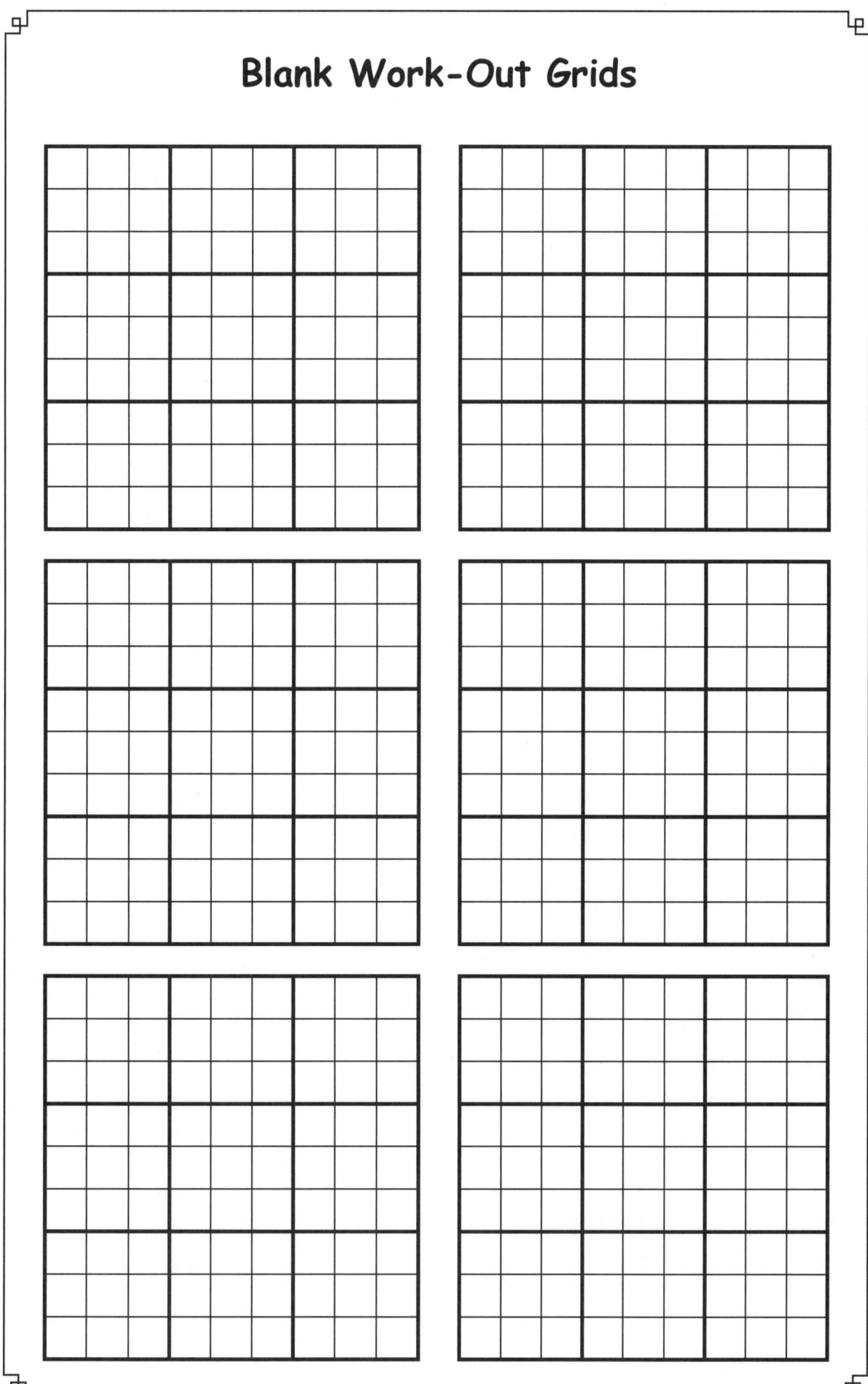

Blank Work-Out Grids

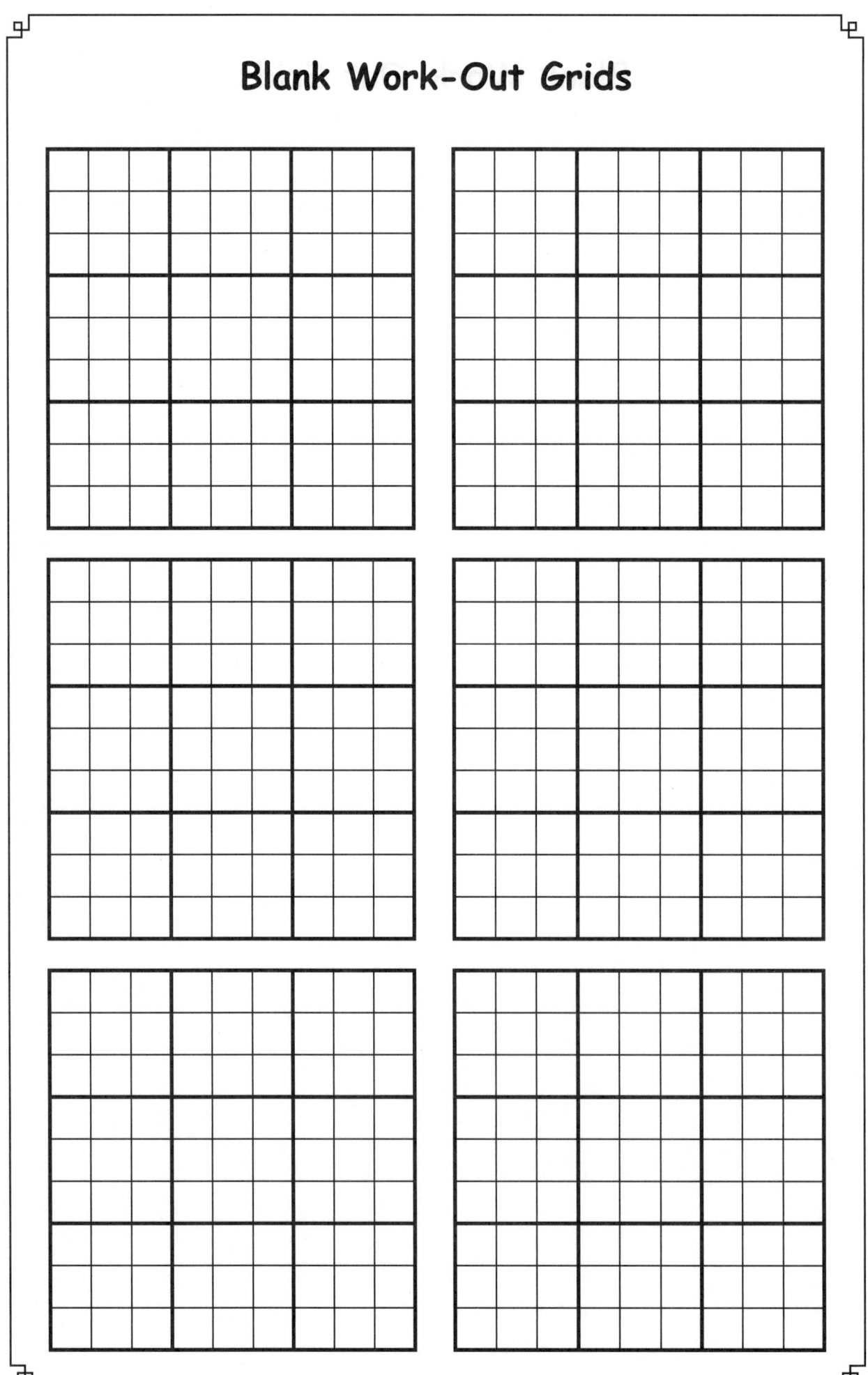

Blank Work-Out Grids

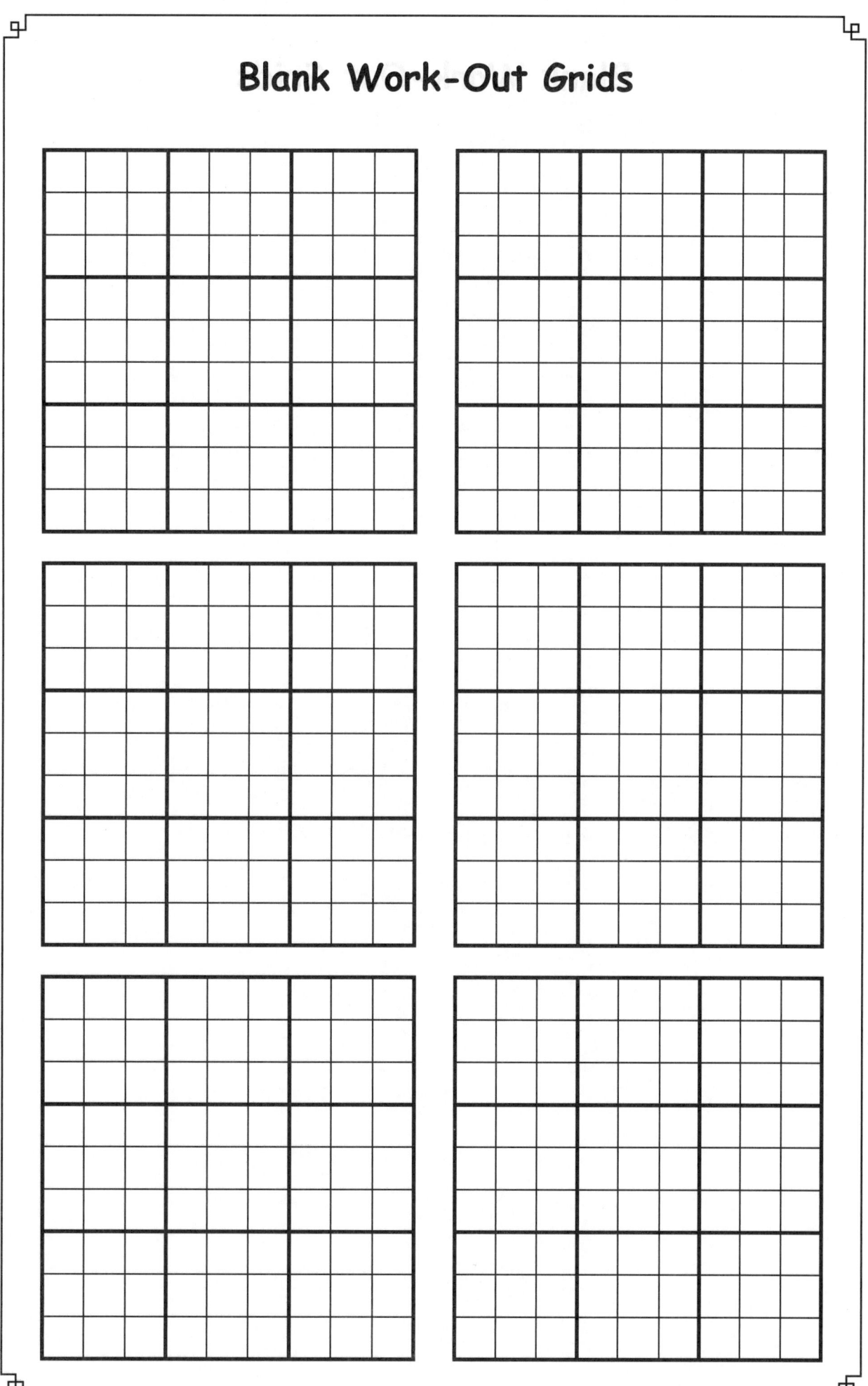

Blank Work-Out Grids

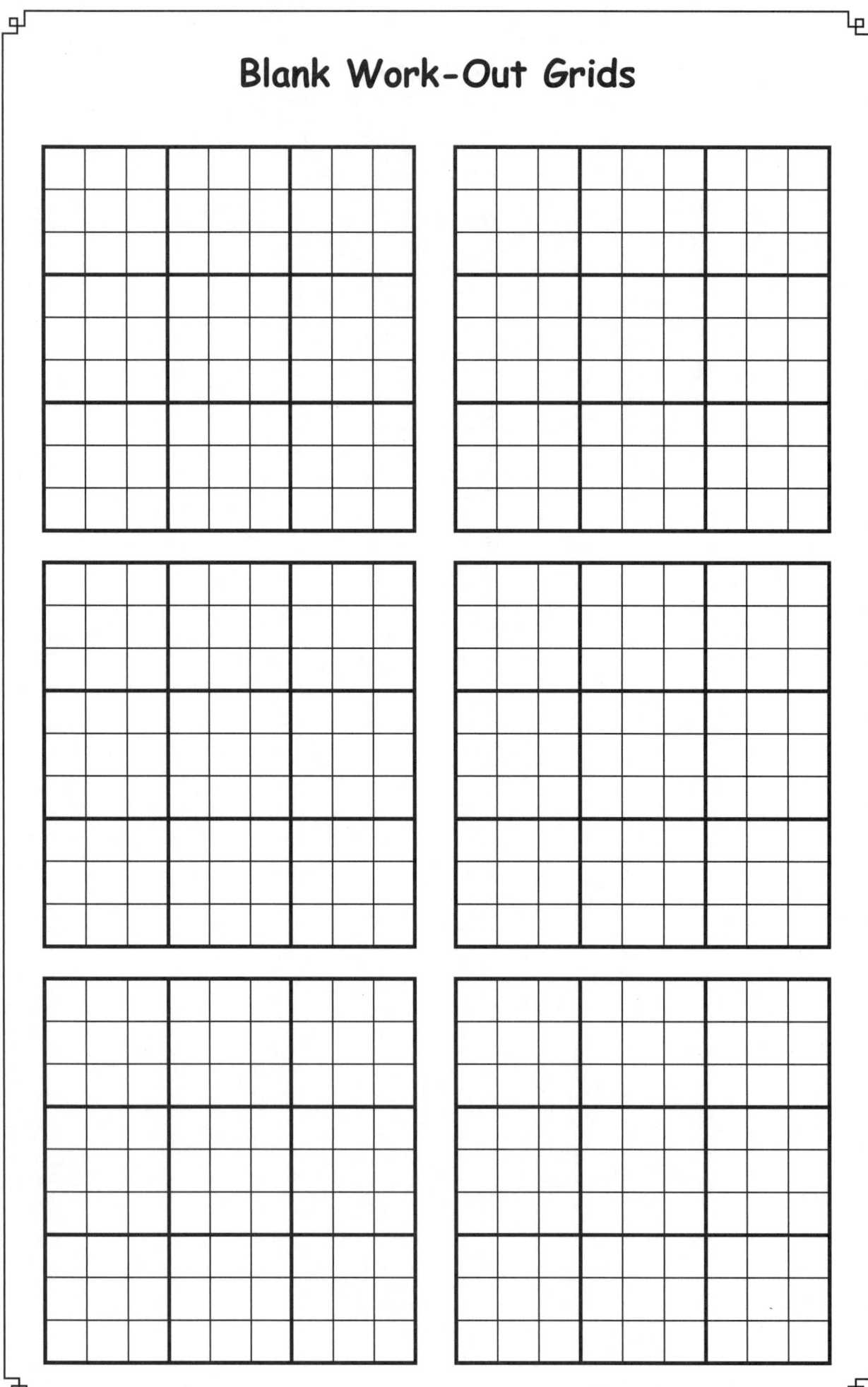

Blank Work-Out Grids

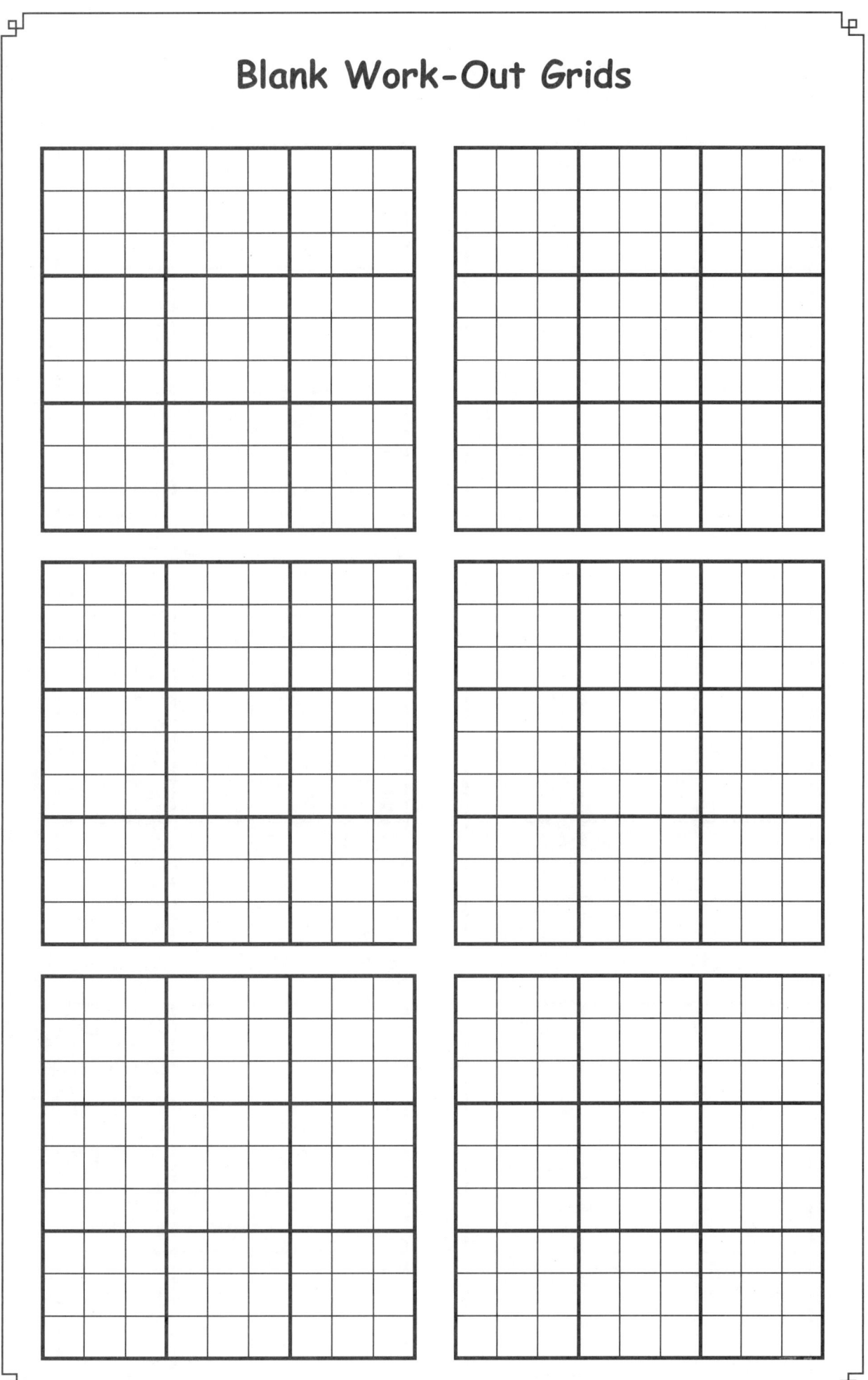

Solutions

No 1

5	3	6	8	9	2	4	7	1
4	7	2	5	1	6	3	8	9
1	8	9	4	3	7	6	2	5
9	6	8	2	4	1	5	3	7
3	4	5	7	6	8	1	9	2
7	2	1	3	5	9	8	4	6
6	5	3	9	2	4	7	1	8
2	1	7	6	8	3	9	5	4
8	9	4	1	7	5	2	6	3

No 2

6	1	4	9	3	2	5	8	7
2	7	5	8	4	1	3	6	9
9	8	3	6	5	7	4	2	1
4	9	8	1	7	6	2	5	3
5	3	1	4	2	8	9	7	6
7	6	2	5	9	3	1	4	8
8	4	9	3	6	5	7	1	2
3	2	6	7	1	4	8	9	5
1	5	7	2	8	9	6	3	4

No 3

3	9	4	1	5	6	7	8	2
2	5	6	7	4	8	9	3	1
8	1	7	2	9	3	5	6	4
5	7	3	8	6	4	1	2	9
6	2	9	3	1	5	8	4	7
4	8	1	9	2	7	3	5	6
9	6	2	5	8	1	4	7	3
7	4	8	6	3	9	2	1	5
1	3	5	4	7	2	6	9	8

No 4

2	6	8	5	1	4	7	9	3
1	3	7	8	6	9	5	2	4
5	9	4	2	3	7	8	1	6
9	2	3	4	7	8	6	5	1
7	1	6	9	5	3	2	4	8
4	8	5	6	2	1	3	7	9
6	4	1	7	8	5	9	3	2
8	5	9	3	4	2	1	6	7
3	7	2	1	9	6	4	8	5

No 5

7	4	1	3	2	9	8	5	6
5	3	2	6	4	8	7	9	1
9	6	8	1	5	7	3	2	4
2	8	7	5	3	6	4	1	9
6	5	4	7	9	1	2	8	3
3	1	9	4	8	2	5	6	7
4	9	5	2	1	3	6	7	8
1	7	3	8	6	5	9	4	2
8	2	6	9	7	4	1	3	5

No 6

1	9	4	5	7	3	2	6	8
3	6	2	9	8	4	7	5	1
7	8	5	6	2	1	3	9	4
6	4	9	2	5	7	1	8	3
5	7	8	3	1	9	6	4	2
2	3	1	4	6	8	9	7	5
8	5	7	1	9	2	4	3	6
4	1	6	7	3	5	8	2	9
9	2	3	8	4	6	5	1	7

Solutions

No 7

7	8	2	6	9	4	3	1	5
9	3	6	1	5	2	8	4	7
4	5	1	8	7	3	9	6	2
6	7	3	2	8	9	4	5	1
8	1	9	4	6	5	7	2	3
2	4	5	7	3	1	6	9	8
1	6	8	9	2	7	5	3	4
3	2	7	5	4	6	1	8	9
5	9	4	3	1	8	2	7	6

No 8

4	9	5	3	1	8	2	6	7
8	7	2	6	5	9	4	3	1
1	3	6	4	2	7	9	8	5
7	6	1	8	4	3	5	2	9
9	2	3	5	6	1	8	7	4
5	4	8	7	9	2	6	1	3
2	5	4	1	7	6	3	9	8
3	1	9	2	8	4	7	5	6
6	8	7	9	3	5	1	4	2

No 9

7	3	8	1	2	5	4	6	9
2	9	6	8	3	4	1	7	5
1	5	4	6	7	9	2	8	3
6	1	7	9	4	3	5	2	8
3	8	2	7	5	1	9	4	6
9	4	5	2	6	8	7	3	1
5	7	9	3	8	2	6	1	4
4	2	3	5	1	6	8	9	7
8	6	1	4	9	7	3	5	2

No 10

3	9	2	6	4	7	1	8	5
1	7	4	5	3	8	6	2	9
5	6	8	2	1	9	7	4	3
2	3	6	8	9	5	4	1	7
9	4	1	3	7	2	5	6	8
8	5	7	1	6	4	9	3	2
7	1	9	4	8	3	2	5	6
6	2	3	7	5	1	8	9	4
4	8	5	9	2	6	3	7	1

No 11

4	3	6	7	1	2	9	5	8
8	7	2	9	5	4	6	1	3
1	5	9	3	8	6	4	2	7
5	4	3	8	6	9	1	7	2
9	2	1	5	4	7	8	3	6
7	6	8	1	2	3	5	4	9
2	1	4	6	3	8	7	9	5
3	8	7	4	9	5	2	6	1
6	9	5	2	7	1	3	8	4

No 12

9	6	3	2	5	1	4	8	7
2	8	4	7	3	9	6	1	5
5	7	1	8	4	6	2	9	3
3	5	9	6	2	8	1	7	4
6	1	2	3	7	4	9	5	8
7	4	8	1	9	5	3	2	6
4	2	5	9	8	3	7	6	1
1	3	7	5	6	2	8	4	9
8	9	6	4	1	7	5	3	2

Solutions

No 13

7	2	9	6	8	1	4	5	3
4	8	3	2	7	5	6	9	1
1	6	5	3	9	4	2	7	8
5	1	7	9	4	2	8	3	6
3	4	8	1	6	7	9	2	5
6	9	2	8	5	3	7	1	4
2	5	4	7	1	6	3	8	9
9	7	1	4	3	8	5	6	2
8	3	6	5	2	9	1	4	7

No 14

1	3	2	9	7	6	5	4	8
9	5	7	4	1	8	3	6	2
4	6	8	3	5	2	1	9	7
5	2	9	8	6	7	4	1	3
6	8	4	1	2	3	7	5	9
7	1	3	5	4	9	8	2	6
2	7	5	6	8	1	9	3	4
3	4	6	7	9	5	2	8	1
8	9	1	2	3	4	6	7	5

No 15

2	7	3	6	9	8	5	4	1
5	8	6	1	4	2	7	3	9
4	1	9	3	5	7	2	8	6
6	5	7	9	8	4	1	2	3
8	4	1	7	2	3	6	9	5
3	9	2	5	1	6	4	7	8
7	6	8	4	3	1	9	5	2
1	3	5	2	7	9	8	6	4
9	2	4	8	6	5	3	1	7

No 16

3	8	5	2	7	6	4	1	9
1	2	7	5	4	9	8	6	3
9	6	4	3	1	8	2	5	7
7	5	9	4	2	3	1	8	6
8	4	1	6	9	5	7	3	2
2	3	6	1	8	7	5	9	4
5	7	8	9	6	2	3	4	1
6	1	2	8	3	4	9	7	5
4	9	3	7	5	1	6	2	8

No 17

9	5	3	7	6	4	2	8	1
1	6	2	5	8	3	7	4	9
7	8	4	1	2	9	6	3	5
6	2	1	3	9	7	8	5	4
4	3	9	2	5	8	1	6	7
5	7	8	6	4	1	9	2	3
3	9	5	8	7	6	4	1	2
2	4	6	9	1	5	3	7	8
8	1	7	4	3	2	5	9	6

No 18

9	8	6	2	7	5	3	1	4
1	2	4	6	3	8	9	5	7
5	7	3	9	1	4	8	6	2
6	4	8	3	9	1	2	7	5
7	5	9	4	2	6	1	3	8
3	1	2	8	5	7	4	9	6
8	6	5	1	4	9	7	2	3
4	3	1	7	6	2	5	8	9
2	9	7	5	8	3	6	4	1

Solutions

No 19

2	7	9	1	4	6	8	5	3
6	5	3	8	9	7	1	2	4
1	4	8	2	5	3	9	6	7
4	1	2	9	6	8	7	3	5
9	8	7	3	2	5	4	1	6
5	3	6	4	7	1	2	9	8
3	9	1	6	8	4	5	7	2
7	6	4	5	1	2	3	8	9
8	2	5	7	3	9	6	4	1

No 20

1	4	6	9	7	8	2	5	3
2	3	7	4	1	5	9	6	8
5	8	9	3	6	2	1	4	7
9	2	5	7	8	6	3	1	4
8	1	3	2	9	4	6	7	5
7	6	4	5	3	1	8	2	9
4	7	8	1	2	3	5	9	6
6	5	2	8	4	9	7	3	1
3	9	1	6	5	7	4	8	2

No 21

8	1	3	4	5	9	7	6	2
4	9	5	2	7	6	1	8	3
7	2	6	3	1	8	9	5	4
9	4	1	5	2	3	6	7	8
3	8	7	6	9	4	5	2	1
5	6	2	1	8	7	3	4	9
6	7	8	9	3	2	4	1	5
2	5	9	7	4	1	8	3	6
1	3	4	8	6	5	2	9	7

No 22

4	7	5	6	9	8	2	1	3
1	8	9	2	7	3	4	6	5
6	3	2	4	1	5	8	9	7
9	2	4	3	8	1	7	5	6
3	1	7	5	6	4	9	2	8
8	5	6	9	2	7	1	3	4
7	6	1	8	5	9	3	4	2
5	4	8	1	3	2	6	7	9
2	9	3	7	4	6	5	8	1

No 23

4	6	1	9	7	5	3	2	8
9	5	7	8	3	2	6	4	1
3	2	8	4	1	6	9	7	5
2	8	6	7	4	1	5	3	9
5	1	3	2	8	9	7	6	4
7	4	9	6	5	3	1	8	2
1	3	2	5	6	8	4	9	7
8	7	5	3	9	4	2	1	6
6	9	4	1	2	7	8	5	3

No 24

5	6	8	9	3	1	2	7	4
1	9	4	7	2	8	6	5	3
2	3	7	5	4	6	8	9	1
4	1	6	8	5	2	7	3	9
7	8	2	3	1	9	5	4	6
3	5	9	6	7	4	1	2	8
8	4	1	2	9	5	3	6	7
6	2	3	4	8	7	9	1	5
9	7	5	1	6	3	4	8	2

Solutions

No 25

1	3	9	5	4	8	7	6	2
7	6	4	2	1	3	5	8	9
5	8	2	9	7	6	1	4	3
4	7	1	3	2	9	8	5	6
8	2	6	4	5	1	9	3	7
9	5	3	8	6	7	2	1	4
2	4	7	6	8	5	3	9	1
6	9	8	1	3	2	4	7	5
3	1	5	7	9	4	6	2	8

No 26

6	1	3	9	5	2	7	4	8
5	8	2	7	4	1	6	9	3
4	9	7	6	8	3	2	5	1
9	7	4	8	1	5	3	2	6
2	6	1	4	3	9	5	8	7
8	3	5	2	7	6	4	1	9
3	2	6	5	9	8	1	7	4
1	4	9	3	2	7	8	6	5
7	5	8	1	6	4	9	3	2

No 27

1	2	6	8	3	5	4	7	9
7	8	4	1	9	2	6	3	5
3	5	9	4	6	7	2	1	8
5	4	7	9	8	3	1	6	2
9	3	2	6	5	1	7	8	4
8	6	1	7	2	4	5	9	3
6	1	8	5	4	9	3	2	7
2	9	5	3	7	6	8	4	1
4	7	3	2	1	8	9	5	6

No 28

3	1	4	5	7	9	6	2	8
9	6	5	8	2	3	4	7	1
2	8	7	6	1	4	3	9	5
1	5	2	3	8	6	9	4	7
7	3	8	4	9	1	5	6	2
4	9	6	2	5	7	8	1	3
5	7	3	9	4	2	1	8	6
8	4	1	7	6	5	2	3	9
6	2	9	1	3	8	7	5	4

No 29

2	7	5	3	4	9	1	6	8
8	4	3	5	6	1	2	7	9
1	6	9	8	7	2	3	4	5
5	9	1	6	3	4	8	2	7
4	2	6	7	9	8	5	3	1
3	8	7	2	1	5	4	9	6
9	5	4	1	2	7	6	8	3
7	3	8	4	5	6	9	1	2
6	1	2	9	8	3	7	5	4

No 30

7	4	9	1	2	5	8	6	3
6	2	3	9	8	7	5	4	1
8	5	1	4	3	6	2	7	9
3	8	5	6	7	2	9	1	4
4	9	7	5	1	8	3	2	6
2	1	6	3	4	9	7	8	5
9	6	8	7	5	1	4	3	2
5	7	4	2	6	3	1	9	8
1	3	2	8	9	4	6	5	7

Solutions

No 31

4	8	6	2	3	7	9	5	1
9	3	5	8	6	1	4	7	2
1	2	7	9	4	5	3	6	8
3	6	9	4	2	8	7	1	5
7	1	2	3	5	9	6	8	4
5	4	8	7	1	6	2	9	3
6	5	4	1	7	3	8	2	9
8	7	3	5	9	2	1	4	6
2	9	1	6	8	4	5	3	7

No 32

4	6	3	7	5	1	9	8	2
1	9	7	2	4	8	6	3	5
2	5	8	9	3	6	1	7	4
7	1	4	5	9	3	2	6	8
8	2	9	4	6	7	3	5	1
6	3	5	8	1	2	4	9	7
5	4	6	1	7	9	8	2	3
3	8	1	6	2	5	7	4	9
9	7	2	3	8	4	5	1	6

No 33

7	1	5	3	9	4	2	6	8
3	2	8	1	7	6	9	5	4
6	4	9	5	8	2	3	1	7
8	3	6	4	2	9	5	7	1
2	9	1	8	5	7	6	4	3
4	5	7	6	3	1	8	9	2
1	7	2	9	6	3	4	8	5
5	6	4	2	1	8	7	3	9
9	8	3	7	4	5	1	2	6

No 34

3	8	4	2	1	5	7	9	6
5	6	1	9	3	7	8	4	2
7	2	9	6	8	4	3	5	1
4	9	8	1	7	3	2	6	5
1	7	6	8	5	2	9	3	4
2	3	5	4	6	9	1	8	7
6	4	7	3	2	8	5	1	9
8	1	2	5	9	6	4	7	3
9	5	3	7	4	1	6	2	8

No 35

7	4	9	5	6	3	8	1	2
8	2	5	9	7	1	6	4	3
3	1	6	4	2	8	5	9	7
1	6	3	7	9	2	4	5	8
2	5	7	6	8	4	9	3	1
4	9	8	1	3	5	7	2	6
5	3	4	8	1	7	2	6	9
9	7	1	2	5	6	3	8	4
6	8	2	3	4	9	1	7	5

No 36

1	4	7	9	6	8	5	3	2
6	9	3	5	4	2	7	8	1
5	2	8	3	7	1	9	4	6
4	6	2	8	1	9	3	7	5
3	5	9	6	2	7	4	1	8
7	8	1	4	5	3	2	6	9
8	7	5	2	3	6	1	9	4
2	3	6	1	9	4	8	5	7
9	1	4	7	8	5	6	2	3

Solutions

No 37

5	8	9	1	6	4	3	7	2
6	4	3	7	2	8	1	9	5
2	1	7	9	3	5	6	4	8
1	2	8	6	4	7	5	3	9
9	3	5	8	1	2	4	6	7
7	6	4	5	9	3	8	2	1
8	7	2	3	5	6	9	1	4
3	5	1	4	7	9	2	8	6
4	9	6	2	8	1	7	5	3

No 38

3	5	4	7	8	9	2	6	1
6	1	7	2	4	5	9	8	3
9	2	8	3	6	1	5	4	7
1	4	2	5	3	6	8	7	9
7	6	9	8	1	4	3	5	2
8	3	5	9	7	2	6	1	4
2	7	6	1	5	3	4	9	8
5	8	3	4	9	7	1	2	6
4	9	1	6	2	8	7	3	5

No 39

6	2	3	8	1	9	4	5	7
1	4	7	2	5	6	9	3	8
8	9	5	3	7	4	1	6	2
2	7	8	6	3	1	5	4	9
3	5	4	7	9	8	2	1	6
9	1	6	4	2	5	8	7	3
4	3	9	1	6	2	7	8	5
5	6	1	9	8	7	3	2	4
7	8	2	5	4	3	6	9	1

No 40

6	5	1	3	9	4	2	7	8
9	7	3	5	2	8	4	6	1
8	4	2	1	7	6	5	3	9
3	9	6	7	1	5	8	4	2
4	8	7	9	6	2	3	1	5
1	2	5	4	8	3	6	9	7
2	1	4	8	3	7	9	5	6
7	3	8	6	5	9	1	2	4
5	6	9	2	4	1	7	8	3

No 41

5	4	3	9	6	7	2	1	8
8	6	1	2	4	3	9	5	7
2	9	7	8	1	5	4	3	6
3	1	2	6	7	4	8	9	5
7	5	4	1	9	8	6	2	3
9	8	6	5	3	2	1	7	4
1	3	5	4	8	9	7	6	2
4	2	9	7	5	6	3	8	1
6	7	8	3	2	1	5	4	9

No 42

7	4	1	6	5	2	9	8	3
2	8	5	9	1	3	4	7	6
6	9	3	4	8	7	5	1	2
4	5	6	2	9	1	8	3	7
3	1	2	8	7	5	6	4	9
9	7	8	3	6	4	2	5	1
8	3	4	7	2	6	1	9	5
1	6	7	5	4	9	3	2	8
5	2	9	1	3	8	7	6	4

Solutions

No 43

4	2	6	8	3	5	1	7	9
8	5	9	7	4	1	6	2	3
7	3	1	6	2	9	5	8	4
5	8	3	4	1	6	7	9	2
1	7	4	2	9	8	3	5	6
6	9	2	3	5	7	4	1	8
3	1	5	9	6	2	8	4	7
2	6	8	1	7	4	9	3	5
9	4	7	5	8	3	2	6	1

No 44

7	2	4	1	8	9	6	5	3
8	6	5	7	2	3	1	9	4
1	9	3	5	4	6	7	8	2
4	1	7	8	3	5	2	6	9
6	5	8	9	1	2	4	3	7
9	3	2	4	6	7	8	1	5
3	7	6	2	9	1	5	4	8
2	4	9	6	5	8	3	7	1
5	8	1	3	7	4	9	2	6

No 45

8	6	9	2	1	7	4	5	3
4	5	7	3	6	8	9	1	2
2	1	3	9	5	4	8	6	7
1	7	6	4	8	3	2	9	5
3	2	8	5	7	9	1	4	6
9	4	5	6	2	1	3	7	8
6	9	2	8	4	5	7	3	1
7	8	4	1	3	6	5	2	9
5	3	1	7	9	2	6	8	4

No 46

4	3	7	6	8	1	9	2	5
9	6	1	5	4	2	7	3	8
8	5	2	7	3	9	1	4	6
3	9	6	8	1	7	4	5	2
7	2	4	3	9	5	8	6	1
5	1	8	4	2	6	3	9	7
6	8	5	9	7	3	2	1	4
1	7	3	2	5	4	6	8	9
2	4	9	1	6	8	5	7	3

No 47

8	5	9	6	1	3	7	2	4
3	2	1	7	8	4	9	5	6
7	4	6	2	9	5	3	8	1
2	8	5	1	3	6	4	7	9
6	7	4	8	2	9	5	1	3
9	1	3	5	4	7	8	6	2
4	6	7	3	5	2	1	9	8
5	3	8	9	6	1	2	4	7
1	9	2	4	7	8	6	3	5

No 48

9	2	1	3	8	7	5	4	6
4	7	3	6	5	9	2	1	8
5	6	8	2	1	4	7	9	3
3	1	5	7	4	2	6	8	9
2	8	7	9	6	1	4	3	5
6	4	9	8	3	5	1	7	2
7	5	6	1	9	8	3	2	4
1	9	4	5	2	3	8	6	7
8	3	2	4	7	6	9	5	1

Solutions

No 49

6	7	2	4	9	3	1	5	8
9	8	5	2	1	7	4	3	6
4	1	3	5	6	8	2	9	7
5	9	4	1	7	6	3	8	2
3	6	8	9	4	2	7	1	5
1	2	7	3	8	5	6	4	9
2	5	9	7	3	1	8	6	4
7	3	6	8	5	4	9	2	1
8	4	1	6	2	9	5	7	3

No 50

2	7	5	3	4	9	1	6	8
3	9	1	8	6	2	5	7	4
6	8	4	5	7	1	3	2	9
1	4	2	9	3	5	6	8	7
8	5	6	7	1	4	9	3	2
7	3	9	2	8	6	4	5	1
4	6	7	1	5	8	2	9	3
5	2	8	4	9	3	7	1	6
9	1	3	6	2	7	8	4	5

No 51

2	7	4	9	5	6	3	8	1
5	1	6	7	8	3	9	2	4
9	3	8	4	2	1	6	5	7
6	8	1	2	3	7	5	4	9
4	5	3	6	9	8	7	1	2
7	2	9	5	1	4	8	6	3
3	6	5	1	7	2	4	9	8
8	9	2	3	4	5	1	7	6
1	4	7	8	6	9	2	3	5

No 52

4	8	7	6	2	3	9	5	1
3	5	1	8	7	9	6	2	4
2	6	9	4	5	1	7	8	3
7	4	8	2	1	5	3	6	9
9	2	5	3	6	7	1	4	8
1	3	6	9	8	4	5	7	2
5	1	4	7	9	2	8	3	6
6	7	2	1	3	8	4	9	5
8	9	3	5	4	6	2	1	7

No 53

3	7	4	9	2	6	8	1	5
9	5	6	1	8	4	7	2	3
1	2	8	5	7	3	6	9	4
8	4	5	6	9	2	1	3	7
7	3	1	4	5	8	9	6	2
2	6	9	7	3	1	5	4	8
6	1	2	8	4	5	3	7	9
4	8	7	3	1	9	2	5	6
5	9	3	2	6	7	4	8	1

No 54

5	7	2	3	9	6	1	4	8
4	6	3	1	8	2	5	9	7
1	8	9	5	4	7	2	3	6
9	1	6	7	2	8	4	5	3
2	5	7	4	6	3	9	8	1
8	3	4	9	5	1	6	7	2
3	2	5	8	1	9	7	6	4
7	4	1	6	3	5	8	2	9
6	9	8	2	7	4	3	1	5

Solutions

No 55

5	3	7	1	9	6	2	8	4
2	9	8	5	4	7	3	1	6
1	6	4	3	2	8	9	7	5
3	2	5	8	1	9	6	4	7
6	4	1	2	7	5	8	9	3
7	8	9	6	3	4	5	2	1
9	5	2	4	6	1	7	3	8
4	7	6	9	8	3	1	5	2
8	1	3	7	5	2	4	6	9

No 56

6	1	7	2	5	8	4	9	3
2	4	5	6	9	3	8	7	1
8	9	3	1	7	4	5	2	6
1	2	6	5	8	7	3	4	9
3	7	9	4	6	2	1	8	5
4	5	8	9	3	1	2	6	7
7	6	1	8	4	5	9	3	2
9	8	2	3	1	6	7	5	4
5	3	4	7	2	9	6	1	8

No 57

7	9	8	4	5	3	1	6	2
4	3	2	6	1	7	8	5	9
6	5	1	8	9	2	4	7	3
1	6	7	9	3	4	2	8	5
2	8	9	5	7	6	3	4	1
3	4	5	1	2	8	7	9	6
5	7	3	2	8	9	6	1	4
9	2	4	7	6	1	5	3	8
8	1	6	3	4	5	9	2	7

No 58

8	5	1	6	4	2	3	7	9
9	3	2	7	8	5	1	6	4
4	6	7	1	9	3	5	2	8
2	4	8	3	5	7	6	9	1
6	7	5	9	2	1	4	8	3
3	1	9	8	6	4	7	5	2
1	8	6	5	3	9	2	4	7
5	2	3	4	7	8	9	1	6
7	9	4	2	1	6	8	3	5

No 59

7	9	1	8	3	2	4	6	5
6	3	5	9	7	4	1	2	8
4	2	8	1	6	5	3	9	7
9	6	4	2	5	7	8	1	3
3	8	7	4	9	1	2	5	6
1	5	2	6	8	3	9	7	4
2	7	9	3	4	6	5	8	1
5	1	3	7	2	8	6	4	9
8	4	6	5	1	9	7	3	2

No 60

3	7	2	5	4	8	1	9	6
6	4	5	2	1	9	3	8	7
9	1	8	7	6	3	5	4	2
4	8	6	3	5	2	9	7	1
5	2	9	6	7	1	4	3	8
1	3	7	8	9	4	2	6	5
8	5	4	9	2	7	6	1	3
2	9	3	1	8	6	7	5	4
7	6	1	4	3	5	8	2	9

Solutions

No 61

2	6	9	5	8	1	3	7	4
3	8	7	9	2	4	5	1	6
5	1	4	7	6	3	2	8	9
4	3	8	1	7	5	6	9	2
6	7	2	3	9	8	4	5	1
9	5	1	2	4	6	8	3	7
7	9	6	8	5	2	1	4	3
1	2	5	4	3	7	9	6	8
8	4	3	6	1	9	7	2	5

No 62

1	4	3	2	5	6	7	9	8
6	7	5	9	8	4	1	3	2
8	9	2	7	1	3	5	6	4
9	8	7	6	3	5	4	2	1
2	6	4	1	7	8	9	5	3
3	5	1	4	2	9	8	7	6
7	1	6	5	4	2	3	8	9
5	2	8	3	9	1	6	4	7
4	3	9	8	6	7	2	1	5

No 63

2	1	4	5	6	8	7	3	9
6	7	3	1	9	2	8	4	5
9	8	5	3	7	4	1	6	2
8	4	9	2	5	1	6	7	3
5	6	7	8	3	9	4	2	1
1	3	2	7	4	6	9	5	8
7	2	1	4	8	5	3	9	6
4	9	8	6	2	3	5	1	7
3	5	6	9	1	7	2	8	4

No 64

5	1	2	8	6	4	7	9	3
7	9	4	1	3	2	5	8	6
3	8	6	7	9	5	1	4	2
8	4	3	6	2	1	9	5	7
1	2	9	3	5	7	4	6	8
6	5	7	9	4	8	2	3	1
2	3	8	5	7	9	6	1	4
4	6	5	2	1	3	8	7	9
9	7	1	4	8	6	3	2	5

No 65

5	8	2	4	7	9	3	6	1
9	1	3	5	6	2	8	7	4
6	4	7	1	8	3	5	9	2
7	3	9	6	2	4	1	5	8
8	2	5	3	1	7	9	4	6
4	6	1	8	9	5	2	3	7
1	5	8	9	4	6	7	2	3
2	9	4	7	3	1	6	8	5
3	7	6	2	5	8	4	1	9

No 66

2	7	3	8	1	5	9	4	6
9	4	5	7	6	3	8	2	1
8	6	1	2	9	4	7	5	3
7	1	9	5	8	2	6	3	4
5	8	6	4	3	9	1	7	2
3	2	4	1	7	6	5	8	9
6	5	7	3	4	1	2	9	8
1	3	2	9	5	8	4	6	7
4	9	8	6	2	7	3	1	5

Solutions

No 67

6	7	2	3	8	1	4	9	5
3	4	8	2	9	5	6	1	7
9	5	1	6	7	4	3	2	8
5	8	9	7	4	3	1	6	2
1	6	7	5	2	9	8	4	3
4	2	3	1	6	8	5	7	9
8	3	6	9	1	2	7	5	4
2	1	4	8	5	7	9	3	6
7	9	5	4	3	6	2	8	1

No 68

3	5	9	7	4	6	1	8	2
4	7	1	5	8	2	3	6	9
6	8	2	1	9	3	4	7	5
2	4	6	8	5	9	7	3	1
5	1	3	4	2	7	6	9	8
7	9	8	6	3	1	5	2	4
9	6	7	2	1	4	8	5	3
1	2	5	3	6	8	9	4	7
8	3	4	9	7	5	2	1	6

No 69

9	1	3	2	4	8	5	6	7
2	6	8	7	1	5	4	9	3
4	5	7	9	6	3	8	2	1
8	4	2	3	9	7	6	1	5
6	7	9	8	5	1	2	3	4
1	3	5	6	2	4	7	8	9
3	8	1	4	7	2	9	5	6
5	9	4	1	8	6	3	7	2
7	2	6	5	3	9	1	4	8

No 70

9	4	2	6	1	8	7	3	5
6	1	5	7	4	3	9	2	8
3	7	8	9	2	5	4	6	1
1	2	7	3	8	6	5	9	4
4	3	6	5	9	1	2	8	7
8	5	9	4	7	2	6	1	3
5	8	1	2	6	7	3	4	9
7	6	4	8	3	9	1	5	2
2	9	3	1	5	4	8	7	6

No 71

7	1	4	6	2	8	9	5	3
8	2	9	3	1	5	6	4	7
6	3	5	7	9	4	1	2	8
1	5	3	8	7	9	2	6	4
9	4	7	5	6	2	8	3	1
2	6	8	4	3	1	5	7	9
5	8	2	9	4	7	3	1	6
4	9	6	1	5	3	7	8	2
3	7	1	2	8	6	4	9	5

No 72

2	6	8	3	9	4	5	7	1
3	9	7	5	1	2	6	4	8
1	5	4	7	6	8	3	9	2
7	3	9	8	5	6	2	1	4
5	2	1	9	4	3	7	8	6
4	8	6	2	7	1	9	3	5
9	4	2	1	3	5	8	6	7
6	7	5	4	8	9	1	2	3
8	1	3	6	2	7	4	5	9

Solutions

No 73

2	7	1	6	9	3	4	5	8
9	3	5	4	8	2	6	7	1
4	6	8	1	7	5	9	3	2
5	1	9	2	4	6	3	8	7
6	8	7	3	1	9	5	2	4
3	4	2	8	5	7	1	9	6
8	9	3	7	6	4	2	1	5
7	5	4	9	2	1	8	6	3
1	2	6	5	3	8	7	4	9

No 74

3	8	9	4	6	2	5	7	1
2	1	7	5	3	9	8	6	4
5	6	4	7	1	8	9	2	3
4	3	8	9	2	5	6	1	7
7	9	6	3	8	1	4	5	2
1	5	2	6	7	4	3	8	9
9	7	3	2	5	6	1	4	8
8	4	5	1	9	7	2	3	6
6	2	1	8	4	3	7	9	5

No 75

3	8	7	4	2	6	9	5	1
1	4	5	8	9	3	7	2	6
6	9	2	1	5	7	4	3	8
8	3	1	5	4	9	6	7	2
5	6	9	7	8	2	3	1	4
2	7	4	3	6	1	8	9	5
7	1	8	2	3	4	5	6	9
4	2	6	9	7	5	1	8	3
9	5	3	6	1	8	2	4	7

No 76

4	9	2	3	7	1	8	5	6
7	6	8	4	5	2	9	3	1
5	1	3	8	6	9	7	2	4
9	4	1	5	2	7	6	8	3
3	2	6	1	4	8	5	9	7
8	5	7	9	3	6	1	4	2
1	7	9	2	8	4	3	6	5
6	3	4	7	9	5	2	1	8
2	8	5	6	1	3	4	7	9

No 77

4	7	6	9	3	1	8	5	2
5	9	2	6	8	7	3	1	4
8	1	3	2	4	5	7	9	6
3	8	1	7	9	2	4	6	5
2	6	9	4	5	3	1	7	8
7	5	4	1	6	8	9	2	3
6	3	8	5	1	9	2	4	7
1	4	7	3	2	6	5	8	9
9	2	5	8	7	4	6	3	1

No 78

9	6	8	2	5	1	7	4	3
4	2	7	6	8	3	5	1	9
1	3	5	9	7	4	8	6	2
6	7	9	4	1	2	3	8	5
8	5	4	7	3	9	6	2	1
2	1	3	5	6	8	4	9	7
3	8	2	1	4	7	9	5	6
5	4	1	3	9	6	2	7	8
7	9	6	8	2	5	1	3	4

Solutions

No 79

8	9	5	3	7	4	1	2	6
4	6	7	1	2	9	8	5	3
2	3	1	5	8	6	9	7	4
6	1	8	9	5	2	4	3	7
9	4	3	7	6	1	2	8	5
7	5	2	4	3	8	6	9	1
3	2	4	8	1	5	7	6	9
5	8	9	6	4	7	3	1	2
1	7	6	2	9	3	5	4	8

No 80

3	5	4	7	1	6	8	2	9
8	7	1	9	2	5	4	6	3
6	2	9	8	4	3	5	1	7
2	1	7	3	5	8	9	4	6
9	8	5	4	6	1	7	3	2
4	6	3	2	7	9	1	8	5
5	4	2	1	3	7	6	9	8
7	3	8	6	9	4	2	5	1
1	9	6	5	8	2	3	7	4

No 81

8	1	2	4	7	5	3	6	9
4	9	3	8	2	6	1	5	7
6	7	5	3	9	1	8	4	2
7	6	1	5	4	9	2	8	3
9	5	8	2	1	3	6	7	4
2	3	4	6	8	7	9	1	5
5	4	6	1	3	2	7	9	8
1	2	7	9	5	8	4	3	6
3	8	9	7	6	4	5	2	1

No 82

1	6	7	4	2	3	5	9	8
5	4	8	7	9	6	2	1	3
2	3	9	1	5	8	7	4	6
7	5	3	6	8	9	1	2	4
4	8	2	3	1	5	6	7	9
6	9	1	2	4	7	3	8	5
3	1	5	9	7	4	8	6	2
9	7	6	8	3	2	4	5	1
8	2	4	5	6	1	9	3	7

No 83

8	4	2	5	9	1	3	6	7
6	7	9	4	3	8	1	5	2
3	1	5	2	7	6	8	4	9
4	5	7	8	6	9	2	3	1
9	3	8	1	2	5	6	7	4
1	2	6	7	4	3	5	9	8
7	8	4	3	5	2	9	1	6
5	6	1	9	8	4	7	2	3
2	9	3	6	1	7	4	8	5

No 84

2	3	6	4	5	9	1	7	8
8	5	9	7	1	3	2	6	4
7	4	1	6	8	2	9	5	3
3	9	5	8	6	4	7	2	1
6	7	4	1	2	5	3	8	9
1	2	8	3	9	7	6	4	5
4	1	2	9	7	8	5	3	6
9	8	7	5	3	6	4	1	2
5	6	3	2	4	1	8	9	7

Solutions

No 85

5	8	7	6	2	1	3	9	4
2	4	1	5	3	9	6	7	8
3	9	6	7	4	8	5	2	1
1	6	4	8	7	3	9	5	2
9	3	5	2	6	4	8	1	7
7	2	8	9	1	5	4	6	3
8	5	2	4	9	7	1	3	6
4	7	3	1	5	6	2	8	9
6	1	9	3	8	2	7	4	5

No 86

4	6	3	1	5	9	2	7	8
8	1	2	3	7	4	5	9	6
9	7	5	2	8	6	4	3	1
3	5	9	6	4	7	8	1	2
7	2	1	8	3	5	6	4	9
6	8	4	9	2	1	7	5	3
2	9	7	5	6	3	1	8	4
1	4	8	7	9	2	3	6	5
5	3	6	4	1	8	9	2	7

No 87

9	6	1	3	2	8	4	7	5
4	3	7	5	1	9	6	2	8
2	8	5	4	7	6	3	1	9
5	7	3	1	6	4	8	9	2
8	1	4	9	5	2	7	6	3
6	2	9	7	8	3	5	4	1
1	9	8	6	3	7	2	5	4
3	4	6	2	9	5	1	8	7
7	5	2	8	4	1	9	3	6

No 88

3	8	2	1	6	7	5	9	4
7	4	1	2	9	5	8	6	3
6	5	9	3	8	4	7	1	2
4	1	3	6	7	9	2	8	5
5	2	6	8	1	3	9	4	7
9	7	8	4	5	2	6	3	1
2	6	7	9	3	1	4	5	8
8	3	5	7	4	6	1	2	9
1	9	4	5	2	8	3	7	6

No 89

7	2	6	9	4	8	5	3	1
1	5	9	6	3	7	2	4	8
8	3	4	2	1	5	7	6	9
9	8	3	7	6	4	1	5	2
6	7	1	5	2	3	9	8	4
2	4	5	8	9	1	6	7	3
3	6	8	1	5	2	4	9	7
4	9	2	3	7	6	8	1	5
5	1	7	4	8	9	3	2	6

No 90

4	1	6	7	9	2	5	8	3
7	3	8	6	5	1	2	9	4
5	9	2	3	8	4	6	7	1
1	5	4	9	3	6	8	2	7
6	8	3	4	2	7	1	5	9
2	7	9	5	1	8	3	4	6
3	4	1	8	7	5	9	6	2
9	6	5	2	4	3	7	1	8
8	2	7	1	6	9	4	3	5

Solutions

No 91

5	6	1	9	3	4	2	8	7
8	7	3	2	5	1	6	4	9
9	2	4	7	6	8	5	3	1
2	1	8	5	9	3	4	7	6
3	4	6	8	2	7	9	1	5
7	5	9	4	1	6	8	2	3
6	3	2	1	8	5	7	9	4
4	9	5	3	7	2	1	6	8
1	8	7	6	4	9	3	5	2

No 92

4	1	8	9	6	2	3	7	5
9	6	2	5	7	3	4	8	1
7	3	5	1	8	4	6	2	9
6	5	3	8	4	7	9	1	2
1	7	4	3	2	9	5	6	8
2	8	9	6	5	1	7	3	4
3	4	7	2	1	5	8	9	6
5	2	6	7	9	8	1	4	3
8	9	1	4	3	6	2	5	7

No 93

4	5	2	7	8	9	3	6	1
7	1	3	4	6	2	5	8	9
8	9	6	3	1	5	7	4	2
1	2	8	5	9	7	4	3	6
6	7	9	1	4	3	2	5	8
3	4	5	6	2	8	9	1	7
2	6	7	8	3	4	1	9	5
5	8	4	9	7	1	6	2	3
9	3	1	2	5	6	8	7	4

No 94

2	5	6	7	1	9	4	8	3
8	9	7	4	3	2	5	1	6
4	1	3	5	8	6	2	9	7
3	4	8	9	5	7	1	6	2
9	7	2	6	4	1	3	5	8
5	6	1	3	2	8	9	7	4
6	2	9	1	7	3	8	4	5
1	8	4	2	6	5	7	3	9
7	3	5	8	9	4	6	2	1

No 95

7	6	9	8	3	5	2	1	4
2	8	1	7	9	4	6	5	3
3	5	4	1	2	6	9	7	8
5	3	6	9	1	7	8	4	2
4	7	8	3	6	2	5	9	1
1	9	2	5	4	8	3	6	7
6	2	7	4	8	9	1	3	5
8	1	5	6	7	3	4	2	9
9	4	3	2	5	1	7	8	6

No 96

6	1	9	7	8	5	3	2	4
4	5	2	6	3	9	1	8	7
7	3	8	1	2	4	6	5	9
8	6	3	9	4	7	5	1	2
1	9	7	5	6	2	4	3	8
2	4	5	8	1	3	9	7	6
5	2	1	4	7	6	8	9	3
9	7	6	3	5	8	2	4	1
3	8	4	2	9	1	7	6	5

Solutions

No 97

8	3	4	2	6	1	7	5	9
5	2	9	4	7	3	6	1	8
7	1	6	9	8	5	3	2	4
3	5	8	1	4	7	2	9	6
9	4	2	8	5	6	1	3	7
6	7	1	3	2	9	8	4	5
4	6	7	5	1	2	9	8	3
1	8	3	6	9	4	5	7	2
2	9	5	7	3	8	4	6	1

No 98

6	2	7	3	9	8	5	1	4
8	9	4	5	1	7	6	2	3
3	1	5	4	2	6	8	9	7
5	3	9	8	6	4	1	7	2
1	8	2	9	7	3	4	5	6
4	7	6	2	5	1	3	8	9
9	5	3	1	4	2	7	6	8
2	6	8	7	3	5	9	4	1
7	4	1	6	8	9	2	3	5

No 99

2	9	6	8	7	5	1	3	4
5	1	4	3	9	2	6	8	7
7	8	3	4	6	1	2	5	9
6	3	8	5	2	7	9	4	1
1	7	5	6	4	9	8	2	3
4	2	9	1	8	3	7	6	5
9	6	1	2	3	4	5	7	8
8	4	7	9	5	6	3	1	2
3	5	2	7	1	8	4	9	6

No 100

7	6	9	1	3	8	5	2	4
5	1	4	9	7	2	6	8	3
8	3	2	4	5	6	1	7	9
1	9	6	7	2	4	3	5	8
4	2	5	8	1	3	7	9	6
3	7	8	6	9	5	4	1	2
6	5	1	2	4	9	8	3	7
2	8	7	3	6	1	9	4	5
9	4	3	5	8	7	2	6	1

No 101

8	2	9	7	4	5	1	3	6
4	7	3	9	1	6	2	5	8
1	6	5	8	2	3	7	9	4
2	3	1	5	6	7	8	4	9
6	8	4	3	9	1	5	7	2
9	5	7	2	8	4	3	6	1
7	4	6	1	3	2	9	8	5
5	1	8	6	7	9	4	2	3
3	9	2	4	5	8	6	1	7

No 102

9	3	8	4	2	1	6	5	7
4	1	5	7	6	9	2	3	8
7	2	6	3	8	5	1	9	4
1	6	7	9	4	2	3	8	5
2	4	9	8	5	3	7	6	1
5	8	3	6	1	7	9	4	2
3	7	2	5	9	4	8	1	6
8	9	4	1	7	6	5	2	3
6	5	1	2	3	8	4	7	9

Solutions

No 103

6	7	4	2	9	3	1	5	8
8	3	1	7	6	5	2	9	4
2	9	5	4	8	1	7	6	3
7	6	9	1	3	4	5	8	2
3	4	2	8	5	6	9	1	7
1	5	8	9	7	2	3	4	6
9	8	3	6	1	7	4	2	5
5	2	6	3	4	9	8	7	1
4	1	7	5	2	8	6	3	9

No 104

9	4	6	1	8	7	5	2	3
5	8	7	6	3	2	9	4	1
3	2	1	9	5	4	7	6	8
6	5	4	2	9	3	8	1	7
2	9	3	7	1	8	4	5	6
7	1	8	5	4	6	3	9	2
4	6	2	8	7	5	1	3	9
1	7	5	3	2	9	6	8	4
8	3	9	4	6	1	2	7	5

No 105

2	9	8	7	5	1	4	6	3
7	4	6	9	3	2	5	8	1
3	5	1	8	6	4	7	2	9
8	6	4	3	7	5	9	1	2
5	3	2	1	8	9	6	4	7
1	7	9	2	4	6	3	5	8
9	1	5	4	2	3	8	7	6
4	2	7	6	9	8	1	3	5
6	8	3	5	1	7	2	9	4

No 106

1	2	5	3	7	4	9	8	6
4	8	9	2	1	6	7	5	3
7	3	6	5	9	8	2	4	1
9	4	2	8	6	5	3	1	7
8	1	3	9	4	7	6	2	5
5	6	7	1	3	2	8	9	4
2	5	4	7	8	3	1	6	9
6	7	1	4	2	9	5	3	8
3	9	8	6	5	1	4	7	2

No 107

9	4	2	7	8	1	3	6	5
1	3	7	2	5	6	9	4	8
8	6	5	4	3	9	7	2	1
4	2	8	5	1	3	6	9	7
3	9	1	6	7	4	8	5	2
5	7	6	8	9	2	1	3	4
7	1	3	9	2	5	4	8	6
6	5	9	1	4	8	2	7	3
2	8	4	3	6	7	5	1	9

No 108

3	6	8	2	1	5	9	4	7
5	7	1	9	4	3	2	6	8
2	9	4	6	8	7	3	5	1
9	4	6	5	2	8	1	7	3
1	3	2	4	7	6	8	9	5
7	8	5	3	9	1	4	2	6
8	1	9	7	6	4	5	3	2
6	2	3	8	5	9	7	1	4
4	5	7	1	3	2	6	8	9

Solutions

No 109

7	5	3	6	9	1	8	2	4
6	9	2	5	8	4	1	7	3
8	1	4	7	3	2	5	6	9
2	6	5	1	7	9	3	4	8
1	3	7	4	5	8	2	9	6
4	8	9	3	2	6	7	1	5
9	7	6	8	1	5	4	3	2
5	2	1	9	4	3	6	8	7
3	4	8	2	6	7	9	5	1

No 110

8	2	9	6	4	1	7	5	3
1	4	3	5	9	7	6	8	2
7	5	6	3	2	8	1	9	4
6	3	4	7	8	9	2	1	5
9	7	5	1	3	2	8	4	6
2	1	8	4	6	5	9	3	7
4	8	7	9	5	6	3	2	1
3	6	2	8	1	4	5	7	9
5	9	1	2	7	3	4	6	8

No 111

9	6	2	4	5	7	3	8	1
1	5	8	9	2	3	6	7	4
4	3	7	1	8	6	9	2	5
8	2	5	6	3	9	1	4	7
3	1	4	2	7	5	8	6	9
7	9	6	8	1	4	5	3	2
5	8	3	7	4	1	2	9	6
6	4	1	3	9	2	7	5	8
2	7	9	5	6	8	4	1	3

No 112

2	6	9	1	8	4	5	7	3
8	1	3	2	5	7	4	9	6
4	5	7	3	6	9	2	8	1
6	8	1	5	9	2	7	3	4
3	7	5	8	4	1	6	2	9
9	4	2	7	3	6	8	1	5
1	3	6	4	2	8	9	5	7
5	2	4	9	7	3	1	6	8
7	9	8	6	1	5	3	4	2

No 113

2	6	1	7	4	5	8	9	3
4	5	9	8	2	3	7	6	1
3	7	8	6	9	1	4	5	2
8	1	5	4	3	9	2	7	6
7	4	2	5	8	6	3	1	9
6	9	3	2	1	7	5	8	4
5	2	6	1	7	4	9	3	8
1	3	4	9	5	8	6	2	7
9	8	7	3	6	2	1	4	5

No 114

8	7	9	4	5	2	6	3	1
2	1	4	3	6	8	5	7	9
6	3	5	9	1	7	4	8	2
5	8	7	1	4	6	2	9	3
4	9	1	7	2	3	8	6	5
3	2	6	8	9	5	7	1	4
1	4	2	6	8	9	3	5	7
9	6	3	5	7	4	1	2	8
7	5	8	2	3	1	9	4	6

Solutions

No 115

8	1	3	7	2	4	6	9	5
6	4	5	8	3	9	1	7	2
7	2	9	1	6	5	4	8	3
9	7	1	4	8	2	3	5	6
4	3	8	5	1	6	9	2	7
5	6	2	3	9	7	8	4	1
1	9	4	2	5	3	7	6	8
2	8	7	6	4	1	5	3	9
3	5	6	9	7	8	2	1	4

No 116

3	4	7	5	9	2	6	8	1
5	1	6	7	4	8	3	9	2
8	2	9	1	3	6	7	4	5
1	3	5	6	2	4	9	7	8
6	9	2	8	7	5	1	3	4
7	8	4	9	1	3	2	5	6
4	6	3	2	5	7	8	1	9
9	7	8	4	6	1	5	2	3
2	5	1	3	8	9	4	6	7

No 117

4	9	2	6	1	5	7	3	8
6	5	7	9	8	3	4	2	1
8	3	1	4	7	2	6	9	5
3	1	8	5	9	4	2	6	7
9	6	4	7	2	8	1	5	3
7	2	5	3	6	1	8	4	9
1	8	6	2	3	9	5	7	4
2	4	9	1	5	7	3	8	6
5	7	3	8	4	6	9	1	2

No 118

5	8	1	6	2	4	9	7	3
9	7	4	5	8	3	6	1	2
6	2	3	9	1	7	4	5	8
4	3	2	1	5	9	8	6	7
1	9	7	8	3	6	5	2	4
8	6	5	7	4	2	1	3	9
3	4	8	2	6	5	7	9	1
2	5	9	4	7	1	3	8	6
7	1	6	3	9	8	2	4	5

No 119

1	5	7	4	2	6	9	3	8
4	3	9	8	1	7	5	2	6
2	8	6	9	3	5	4	7	1
5	2	8	7	6	1	3	9	4
9	6	1	2	4	3	7	8	5
3	7	4	5	8	9	1	6	2
7	4	5	6	9	2	8	1	3
8	1	2	3	7	4	6	5	9
6	9	3	1	5	8	2	4	7

No 120

2	1	5	8	4	9	6	3	7
7	6	9	2	3	1	4	5	8
3	4	8	7	6	5	1	9	2
4	9	3	6	7	2	5	8	1
8	5	6	4	1	3	2	7	9
1	2	7	5	9	8	3	4	6
5	8	4	1	2	7	9	6	3
9	7	2	3	5	6	8	1	4
6	3	1	9	8	4	7	2	5

Solutions

No 121

5	6	2	1	3	7	8	4	9
3	9	7	6	4	8	1	5	2
1	8	4	2	5	9	7	3	6
7	4	9	5	8	6	3	2	1
2	3	8	7	1	4	6	9	5
6	5	1	3	9	2	4	7	8
8	7	3	9	6	5	2	1	4
4	1	5	8	2	3	9	6	7
9	2	6	4	7	1	5	8	3

No 122

2	3	4	7	8	9	5	6	1
7	5	1	6	3	4	8	2	9
6	9	8	5	1	2	4	7	3
9	7	2	8	4	3	1	5	6
8	4	5	1	2	6	3	9	7
1	6	3	9	5	7	2	8	4
4	1	7	2	9	5	6	3	8
5	8	9	3	6	1	7	4	2
3	2	6	4	7	8	9	1	5

No 123

7	6	8	3	9	5	4	1	2
2	9	1	6	4	8	3	7	5
4	5	3	2	1	7	9	8	6
8	3	5	7	6	1	2	9	4
9	7	4	8	3	2	6	5	1
1	2	6	9	5	4	7	3	8
6	1	9	5	2	3	8	4	7
3	4	7	1	8	6	5	2	9
5	8	2	4	7	9	1	6	3

No 124

6	3	1	8	5	9	2	4	7
7	4	5	1	2	6	9	3	8
9	8	2	4	7	3	6	1	5
2	1	8	5	9	4	7	6	3
3	9	6	7	1	2	5	8	4
4	5	7	6	3	8	1	9	2
1	6	3	2	8	5	4	7	9
5	7	9	3	4	1	8	2	6
8	2	4	9	6	7	3	5	1

No 125

4	8	1	5	7	2	9	6	3
5	3	9	6	1	4	2	7	8
6	7	2	3	8	9	5	1	4
1	4	6	8	9	5	3	2	7
7	2	3	4	6	1	8	5	9
9	5	8	2	3	7	6	4	1
2	9	5	1	4	8	7	3	6
3	1	7	9	5	6	4	8	2
8	6	4	7	2	3	1	9	5

No 126

5	3	9	1	6	7	2	4	8
8	2	7	9	4	3	5	1	6
6	4	1	8	2	5	3	7	9
4	9	3	6	5	8	1	2	7
2	8	5	4	7	1	6	9	3
7	1	6	2	3	9	4	8	5
3	7	4	5	8	2	9	6	1
1	6	8	3	9	4	7	5	2
9	5	2	7	1	6	8	3	4

Solutions

No 127

5	8	2	9	6	7	4	1	3
6	1	7	3	4	8	9	5	2
3	9	4	5	1	2	8	7	6
2	4	8	7	3	9	5	6	1
9	3	1	4	5	6	7	2	8
7	6	5	8	2	1	3	9	4
4	2	9	1	7	3	6	8	5
1	7	3	6	8	5	2	4	9
8	5	6	2	9	4	1	3	7

No 128

1	2	5	6	4	7	9	8	3
9	7	3	8	2	1	5	6	4
8	6	4	5	9	3	1	2	7
5	3	6	2	8	9	7	4	1
2	9	7	4	1	6	3	5	8
4	1	8	7	3	5	2	9	6
3	8	2	1	5	4	6	7	9
6	4	9	3	7	2	8	1	5
7	5	1	9	6	8	4	3	2

No 129

2	8	5	4	3	1	9	6	7
3	4	1	6	7	9	2	5	8
9	6	7	8	2	5	4	3	1
1	5	3	7	4	8	6	9	2
7	2	4	1	9	6	5	8	3
8	9	6	2	5	3	1	7	4
6	7	2	9	8	4	3	1	5
4	3	9	5	1	7	8	2	6
5	1	8	3	6	2	7	4	9

No 130

9	7	3	2	1	4	8	6	5
1	8	2	6	7	5	9	4	3
5	4	6	3	9	8	1	2	7
2	3	9	5	4	1	6	7	8
6	5	7	9	8	2	4	3	1
8	1	4	7	3	6	5	9	2
3	6	1	4	5	7	2	8	9
4	9	8	1	2	3	7	5	6
7	2	5	8	6	9	3	1	4

No 131

6	2	8	5	3	7	9	1	4
3	7	1	8	9	4	2	6	5
9	5	4	1	6	2	8	3	7
4	9	3	2	1	5	6	7	8
7	8	5	6	4	3	1	2	9
1	6	2	7	8	9	4	5	3
8	1	7	9	5	6	3	4	2
2	3	6	4	7	8	5	9	1
5	4	9	3	2	1	7	8	6

No 132

2	5	3	7	4	9	8	1	6
8	4	9	1	6	2	7	3	5
7	1	6	5	3	8	9	2	4
5	6	4	9	7	3	1	8	2
9	7	2	4	8	1	5	6	3
1	3	8	2	5	6	4	9	7
6	9	7	3	1	5	2	4	8
3	2	5	8	9	4	6	7	1
4	8	1	6	2	7	3	5	9

Solutions

No 133

1	6	9	4	8	5	2	7	3
7	8	3	2	1	9	6	4	5
2	5	4	7	3	6	9	8	1
5	3	7	6	9	4	8	1	2
4	2	1	3	5	8	7	9	6
8	9	6	1	7	2	5	3	4
9	1	5	8	2	3	4	6	7
6	7	2	9	4	1	3	5	8
3	4	8	5	6	7	1	2	9

No 134

7	6	4	2	3	8	5	9	1
8	9	1	5	6	4	7	3	2
5	3	2	1	9	7	4	6	8
9	5	6	7	1	2	3	8	4
1	4	7	8	5	3	9	2	6
3	2	8	6	4	9	1	5	7
2	1	5	9	7	6	8	4	3
6	7	3	4	8	5	2	1	9
4	8	9	3	2	1	6	7	5

No 135

5	6	9	4	2	8	7	3	1
7	8	3	1	6	9	4	5	2
4	1	2	5	7	3	6	9	8
8	9	5	6	3	1	2	4	7
3	7	1	2	8	4	9	6	5
6	2	4	9	5	7	8	1	3
9	3	6	8	1	2	5	7	4
2	4	7	3	9	5	1	8	6
1	5	8	7	4	6	3	2	9

No 136

4	9	1	7	3	5	6	8	2
3	2	7	6	8	4	9	5	1
8	6	5	9	1	2	4	7	3
7	1	9	3	5	6	8	2	4
5	4	3	2	9	8	1	6	7
6	8	2	4	7	1	5	3	9
9	3	4	5	6	7	2	1	8
1	7	6	8	2	9	3	4	5
2	5	8	1	4	3	7	9	6

No 137

7	4	3	6	8	9	1	5	2
2	6	5	3	7	1	8	9	4
9	8	1	5	2	4	3	7	6
4	5	8	7	9	3	2	6	1
6	2	7	4	1	8	5	3	9
1	3	9	2	6	5	7	4	8
5	9	2	1	3	6	4	8	7
8	7	4	9	5	2	6	1	3
3	1	6	8	4	7	9	2	5

No 138

6	1	3	4	5	2	7	9	8
2	8	5	3	7	9	1	6	4
9	7	4	8	6	1	2	3	5
1	5	7	9	2	4	3	8	6
4	3	6	5	8	7	9	1	2
8	2	9	1	3	6	5	4	7
3	4	8	7	9	5	6	2	1
5	9	2	6	1	8	4	7	3
7	6	1	2	4	3	8	5	9

Solutions

No 139

4	6	8	9	7	3	5	1	2
2	1	3	5	8	6	4	7	9
5	7	9	1	4	2	8	3	6
9	2	1	7	3	4	6	8	5
6	3	5	8	1	9	7	2	4
7	8	4	2	6	5	3	9	1
1	4	6	3	9	8	2	5	7
8	5	7	4	2	1	9	6	3
3	9	2	6	5	7	1	4	8

No 140

3	9	4	8	1	6	5	2	7
2	7	8	5	9	3	1	6	4
6	1	5	2	4	7	9	3	8
7	4	1	3	2	9	8	5	6
5	2	9	6	8	1	4	7	3
8	3	6	4	7	5	2	9	1
4	5	2	7	3	8	6	1	9
1	8	7	9	6	2	3	4	5
9	6	3	1	5	4	7	8	2

No 141

4	3	1	6	5	2	8	9	7
8	5	9	4	7	3	6	2	1
7	6	2	8	1	9	4	3	5
3	8	5	9	6	1	7	4	2
9	4	6	2	8	7	5	1	3
2	1	7	3	4	5	9	8	6
6	2	8	7	3	4	1	5	9
1	7	3	5	9	8	2	6	4
5	9	4	1	2	6	3	7	8

No 142

7	5	4	2	1	9	3	6	8
3	9	1	8	4	6	7	2	5
8	6	2	5	3	7	9	1	4
6	1	8	4	9	5	2	7	3
5	4	9	3	7	2	1	8	6
2	3	7	1	6	8	5	4	9
9	8	5	7	2	4	6	3	1
1	7	6	9	8	3	4	5	2
4	2	3	6	5	1	8	9	7

No 143

6	8	4	2	9	1	7	5	3
3	5	1	7	8	6	2	4	9
2	7	9	3	5	4	6	1	8
1	9	6	5	4	2	8	3	7
7	2	5	8	1	3	9	6	4
4	3	8	9	6	7	5	2	1
5	4	2	1	7	9	3	8	6
9	1	3	6	2	8	4	7	5
8	6	7	4	3	5	1	9	2

No 144

7	9	2	3	6	4	5	1	8
5	3	4	9	8	1	2	6	7
6	8	1	7	5	2	3	9	4
9	7	8	6	1	3	4	2	5
3	4	6	2	7	5	9	8	1
2	1	5	8	4	9	7	3	6
8	6	9	5	3	7	1	4	2
4	2	7	1	9	6	8	5	3
1	5	3	4	2	8	6	7	9

Solutions

No 145

3	5	7	6	8	1	2	9	4
1	2	6	3	9	4	5	7	8
8	9	4	2	7	5	6	1	3
5	7	8	1	2	6	4	3	9
2	6	9	8	4	3	7	5	1
4	1	3	9	5	7	8	6	2
7	3	5	4	1	8	9	2	6
9	4	1	5	6	2	3	8	7
6	8	2	7	3	9	1	4	5

No 146

2	3	6	1	8	5	9	7	4
8	9	5	3	7	4	1	6	2
4	7	1	2	9	6	5	8	3
1	6	2	7	4	9	8	3	5
5	8	3	6	2	1	4	9	7
9	4	7	8	5	3	6	2	1
3	5	4	9	6	2	7	1	8
6	2	8	4	1	7	3	5	9
7	1	9	5	3	8	2	4	6

No 147

2	5	7	1	3	8	4	6	9
4	6	8	7	5	9	1	3	2
1	3	9	6	2	4	8	5	7
3	7	6	4	1	2	5	9	8
5	8	1	9	7	3	2	4	6
9	4	2	5	8	6	7	1	3
6	2	3	8	4	5	9	7	1
8	1	5	3	9	7	6	2	4
7	9	4	2	6	1	3	8	5

No 148

3	5	2	4	6	8	7	9	1
4	7	9	1	5	2	6	3	8
8	1	6	3	7	9	5	4	2
5	3	1	6	9	7	8	2	4
6	9	4	2	8	3	1	7	5
7	2	8	5	1	4	9	6	3
2	6	5	9	4	1	3	8	7
9	4	7	8	3	5	2	1	6
1	8	3	7	2	6	4	5	9

No 149

1	4	7	3	5	2	9	6	8
3	9	5	6	8	4	7	2	1
2	6	8	1	7	9	3	5	4
7	3	2	4	6	1	8	9	5
4	5	6	2	9	8	1	7	3
9	8	1	7	3	5	2	4	6
5	1	3	9	2	6	4	8	7
8	2	4	5	1	7	6	3	9
6	7	9	8	4	3	5	1	2

No 150

7	8	9	6	5	2	1	3	4
4	1	2	3	9	8	6	5	7
5	6	3	7	1	4	9	2	8
1	3	5	8	2	9	7	4	6
8	4	6	5	7	3	2	9	1
9	2	7	4	6	1	3	8	5
2	7	4	9	8	6	5	1	3
3	5	1	2	4	7	8	6	9
6	9	8	1	3	5	4	7	2

Solutions

No 151

4	1	2	7	5	6	8	9	3
3	7	9	2	1	8	6	5	4
6	8	5	9	3	4	7	1	2
9	2	1	4	7	3	5	6	8
5	6	7	1	8	2	3	4	9
8	3	4	6	9	5	1	2	7
2	4	3	8	6	1	9	7	5
1	9	8	5	4	7	2	3	6
7	5	6	3	2	9	4	8	1

No 152

8	5	2	3	7	9	6	1	4
6	4	9	8	2	1	5	7	3
7	3	1	5	6	4	2	9	8
9	2	3	7	4	5	8	6	1
1	7	4	6	9	8	3	2	5
5	6	8	2	1	3	7	4	9
2	1	5	4	3	6	9	8	7
4	8	6	9	5	7	1	3	2
3	9	7	1	8	2	4	5	6

No 153

7	3	6	4	5	2	8	1	9
4	9	2	1	6	8	3	7	5
5	8	1	7	9	3	2	4	6
8	5	9	2	4	6	7	3	1
3	1	4	8	7	5	9	6	2
2	6	7	3	1	9	4	5	8
1	7	8	5	2	4	6	9	3
6	4	3	9	8	1	5	2	7
9	2	5	6	3	7	1	8	4

No 154

5	3	1	9	6	4	2	7	8
6	9	7	3	8	2	4	1	5
2	4	8	5	7	1	6	9	3
8	1	5	7	2	6	9	3	4
4	7	6	8	3	9	1	5	2
9	2	3	1	4	5	7	8	6
1	6	9	2	5	8	3	4	7
7	8	2	4	9	3	5	6	1
3	5	4	6	1	7	8	2	9

No 155

2	8	6	7	3	5	9	4	1
1	5	3	2	9	4	7	8	6
4	7	9	8	1	6	5	3	2
7	1	8	9	5	3	6	2	4
6	3	5	1	4	2	8	9	7
9	4	2	6	7	8	3	1	5
5	6	4	3	2	9	1	7	8
3	2	1	5	8	7	4	6	9
8	9	7	4	6	1	2	5	3

No 156

8	7	2	4	1	6	5	3	9
6	1	4	5	3	9	7	2	8
9	3	5	7	8	2	6	1	4
4	5	3	6	9	1	8	7	2
2	9	6	8	5	7	3	4	1
7	8	1	2	4	3	9	5	6
3	2	8	9	7	4	1	6	5
5	4	7	1	6	8	2	9	3
1	6	9	3	2	5	4	8	7

Solutions

No 157

3	6	8	4	9	7	1	2	5
9	1	4	8	2	5	3	6	7
2	5	7	1	3	6	9	4	8
6	2	5	3	7	4	8	1	9
7	8	9	6	1	2	4	5	3
4	3	1	9	5	8	6	7	2
5	9	3	2	6	1	7	8	4
8	7	6	5	4	3	2	9	1
1	4	2	7	8	9	5	3	6

No 158

6	4	3	7	2	5	8	1	9
2	9	8	1	6	4	5	3	7
5	1	7	9	8	3	2	4	6
9	5	6	8	4	1	7	2	3
4	8	1	2	3	7	6	9	5
3	7	2	6	5	9	4	8	1
8	3	4	5	9	6	1	7	2
1	2	5	3	7	8	9	6	4
7	6	9	4	1	2	3	5	8

No 159

3	7	2	4	1	5	9	8	6
9	1	5	6	7	8	2	4	3
4	8	6	9	3	2	7	5	1
2	3	9	8	4	1	5	6	7
1	4	8	5	6	7	3	9	2
5	6	7	2	9	3	8	1	4
7	9	1	3	8	6	4	2	5
8	5	3	1	2	4	6	7	9
6	2	4	7	5	9	1	3	8

No 160

3	2	5	9	7	4	1	6	8
9	8	7	3	1	6	5	4	2
4	1	6	5	8	2	3	7	9
2	5	1	8	6	7	4	9	3
8	7	4	1	3	9	6	2	5
6	3	9	2	4	5	7	8	1
7	9	2	6	5	1	8	3	4
1	6	8	4	9	3	2	5	7
5	4	3	7	2	8	9	1	6

No 161

9	8	3	1	7	2	6	4	5
1	6	2	9	5	4	8	3	7
5	4	7	8	6	3	1	2	9
8	5	6	4	3	9	7	1	2
2	9	4	7	1	8	5	6	3
7	3	1	6	2	5	9	8	4
3	2	8	5	9	6	4	7	1
6	1	5	2	4	7	3	9	8
4	7	9	3	8	1	2	5	6

No 162

5	3	6	1	2	8	4	9	7
7	4	8	9	5	6	1	3	2
2	1	9	4	3	7	6	5	8
1	6	5	7	4	3	2	8	9
4	7	3	8	9	2	5	6	1
9	8	2	5	6	1	3	7	4
8	2	1	3	7	5	9	4	6
6	5	4	2	8	9	7	1	3
3	9	7	6	1	4	8	2	5

Solutions

No 163

3	4	8	7	2	5	9	1	6
6	5	2	1	8	9	4	7	3
9	1	7	6	4	3	2	5	8
1	6	9	2	5	8	7	3	4
7	3	4	9	1	6	8	2	5
2	8	5	4	3	7	1	6	9
8	2	6	3	7	4	5	9	1
5	7	3	8	9	1	6	4	2
4	9	1	5	6	2	3	8	7

No 164

8	2	4	5	7	1	3	9	6
1	6	7	9	3	2	5	4	8
9	5	3	4	8	6	2	7	1
6	4	2	7	1	5	8	3	9
5	7	1	8	9	3	4	6	2
3	9	8	2	6	4	1	5	7
2	1	5	6	4	7	9	8	3
4	8	6	3	2	9	7	1	5
7	3	9	1	5	8	6	2	4

No 165

3	4	6	8	5	1	9	2	7
2	5	9	7	4	3	1	6	8
8	1	7	9	2	6	5	3	4
9	7	3	1	6	8	4	5	2
6	2	5	4	7	9	8	1	3
4	8	1	5	3	2	7	9	6
7	6	8	2	1	5	3	4	9
5	3	4	6	9	7	2	8	1
1	9	2	3	8	4	6	7	5

No 166

4	6	2	5	8	1	3	7	9
9	1	7	3	4	6	2	5	8
3	5	8	9	2	7	6	1	4
8	7	5	2	3	4	9	6	1
2	9	6	1	7	8	4	3	5
1	4	3	6	5	9	7	8	2
6	8	9	4	1	3	5	2	7
7	2	4	8	6	5	1	9	3
5	3	1	7	9	2	8	4	6

No 167

2	8	4	7	9	3	6	5	1
9	5	1	6	2	4	7	3	8
3	6	7	5	1	8	2	9	4
7	3	2	9	4	1	8	6	5
1	9	8	2	6	5	4	7	3
6	4	5	3	8	7	1	2	9
8	7	6	1	3	9	5	4	2
4	2	9	8	5	6	3	1	7
5	1	3	4	7	2	9	8	6

No 168

7	5	1	9	4	6	2	3	8
3	6	4	8	2	5	1	7	9
2	9	8	7	3	1	5	6	4
5	8	6	1	9	7	4	2	3
4	3	9	6	5	2	8	1	7
1	7	2	4	8	3	9	5	6
6	4	7	2	1	8	3	9	5
8	2	3	5	6	9	7	4	1
9	1	5	3	7	4	6	8	2

Solutions

No 169

1	4	8	7	3	6	2	9	5
6	7	3	9	2	5	1	4	8
5	9	2	1	4	8	3	6	7
2	6	5	3	9	7	8	1	4
7	1	9	8	5	4	6	3	2
3	8	4	2	6	1	5	7	9
4	2	1	6	8	9	7	5	3
8	5	6	4	7	3	9	2	1
9	3	7	5	1	2	4	8	6

No 170

6	7	2	4	5	3	8	1	9
8	3	4	7	9	1	2	5	6
5	1	9	8	6	2	4	7	3
3	4	7	6	2	5	1	9	8
9	8	1	3	4	7	6	2	5
2	6	5	9	1	8	7	3	4
4	9	3	2	7	6	5	8	1
7	5	6	1	8	9	3	4	2
1	2	8	5	3	4	9	6	7

No 171

3	6	4	7	2	5	8	9	1
8	9	5	6	4	1	7	3	2
2	1	7	3	9	8	5	6	4
5	3	6	2	8	9	4	1	7
1	8	9	5	7	4	3	2	6
4	7	2	1	3	6	9	8	5
9	2	8	4	1	7	6	5	3
6	4	3	9	5	2	1	7	8
7	5	1	8	6	3	2	4	9

No 172

9	4	1	6	5	2	8	7	3
8	6	5	3	7	9	2	4	1
2	7	3	8	1	4	5	9	6
3	9	2	1	4	8	7	6	5
1	8	4	7	6	5	3	2	9
6	5	7	2	9	3	4	1	8
5	1	6	4	8	7	9	3	2
4	2	8	9	3	1	6	5	7
7	3	9	5	2	6	1	8	4

No 173

9	1	8	2	7	4	5	3	6
6	3	7	1	5	8	2	4	9
5	2	4	3	6	9	1	7	8
1	8	5	9	2	3	7	6	4
2	7	6	4	8	5	3	9	1
3	4	9	6	1	7	8	2	5
4	9	2	5	3	1	6	8	7
7	6	1	8	4	2	9	5	3
8	5	3	7	9	6	4	1	2

No 174

2	9	4	5	7	3	6	1	8
5	3	7	8	6	1	2	9	4
8	1	6	4	9	2	7	5	3
7	4	9	2	5	6	8	3	1
3	2	1	9	8	4	5	7	6
6	5	8	3	1	7	4	2	9
9	6	2	1	4	5	3	8	7
4	8	5	7	3	9	1	6	2
1	7	3	6	2	8	9	4	5

Solutions

No 175

1	7	2	3	5	4	8	9	6
5	9	4	8	6	2	7	3	1
3	6	8	1	9	7	2	4	5
6	8	7	9	3	5	4	1	2
9	4	1	2	7	6	3	5	8
2	3	5	4	8	1	6	7	9
4	1	6	5	2	3	9	8	7
8	2	3	7	1	9	5	6	4
7	5	9	6	4	8	1	2	3

No 176

3	1	7	8	2	9	5	4	6
4	2	8	1	6	5	3	9	7
9	6	5	4	7	3	1	8	2
2	4	1	6	9	8	7	3	5
6	8	3	5	1	7	4	2	9
7	5	9	2	3	4	6	1	8
1	7	2	3	8	6	9	5	4
8	9	4	7	5	1	2	6	3
5	3	6	9	4	2	8	7	1

No 177

3	2	7	6	5	9	1	4	8
8	6	1	2	7	4	3	5	9
4	9	5	8	1	3	6	2	7
9	1	2	3	4	7	8	6	5
6	3	4	5	8	1	7	9	2
5	7	8	9	2	6	4	3	1
1	8	9	4	3	5	2	7	6
7	5	3	1	6	2	9	8	4
2	4	6	7	9	8	5	1	3

No 178

7	3	5	2	9	8	1	4	6
2	6	1	7	4	3	5	9	8
8	9	4	5	6	1	3	2	7
5	7	3	6	1	2	9	8	4
9	4	8	3	7	5	2	6	1
1	2	6	9	8	4	7	3	5
3	8	7	1	2	6	4	5	9
6	5	9	4	3	7	8	1	2
4	1	2	8	5	9	6	7	3

No 179

2	9	4	8	5	7	6	1	3
6	8	1	2	3	4	5	7	9
3	7	5	1	9	6	8	2	4
7	1	3	6	4	2	9	5	8
9	4	2	5	8	1	3	6	7
8	5	6	9	7	3	1	4	2
1	3	9	4	2	5	7	8	6
5	2	8	7	6	9	4	3	1
4	6	7	3	1	8	2	9	5

No 180

1	5	7	4	8	2	3	9	6
3	9	8	1	7	6	5	2	4
2	4	6	3	5	9	1	7	8
7	2	9	5	6	4	8	3	1
8	6	1	9	3	7	2	4	5
5	3	4	8	2	1	9	6	7
9	7	2	6	1	8	4	5	3
6	1	3	2	4	5	7	8	9
4	8	5	7	9	3	6	1	2

Solutions

No 181

6	1	7	2	5	4	3	8	9
4	8	2	9	6	3	7	5	1
3	9	5	1	8	7	4	6	2
5	7	9	3	2	6	1	4	8
2	3	1	4	9	8	6	7	5
8	4	6	7	1	5	9	2	3
7	6	8	5	3	9	2	1	4
9	2	4	8	7	1	5	3	6
1	5	3	6	4	2	8	9	7

No 182

5	7	4	2	1	8	3	9	6
3	1	2	5	6	9	7	4	8
6	9	8	3	7	4	5	2	1
9	8	1	4	5	6	2	3	7
2	5	7	9	3	1	6	8	4
4	3	6	8	2	7	1	5	9
7	4	3	6	9	5	8	1	2
1	2	9	7	8	3	4	6	5
8	6	5	1	4	2	9	7	3

No 183

2	1	7	3	9	6	5	8	4
4	5	8	7	1	2	3	6	9
9	6	3	5	4	8	2	1	7
7	2	1	8	6	4	9	5	3
5	4	9	1	3	7	8	2	6
3	8	6	2	5	9	4	7	1
1	7	5	9	2	3	6	4	8
8	3	4	6	7	5	1	9	2
6	9	2	4	8	1	7	3	5

No 184

4	3	6	7	5	8	9	2	1
9	8	5	6	1	2	3	4	7
2	1	7	4	3	9	5	8	6
5	6	2	9	4	1	8	7	3
1	7	4	8	6	3	2	9	5
3	9	8	2	7	5	1	6	4
7	5	9	3	2	4	6	1	8
6	2	1	5	8	7	4	3	9
8	4	3	1	9	6	7	5	2

No 185

2	3	5	4	6	8	9	1	7
9	6	4	7	5	1	8	2	3
8	1	7	2	9	3	6	5	4
4	7	9	5	8	2	1	3	6
5	2	3	1	7	6	4	8	9
6	8	1	9	3	4	2	7	5
3	4	8	6	1	7	5	9	2
7	5	2	8	4	9	3	6	1
1	9	6	3	2	5	7	4	8

No 186

9	8	5	7	4	6	2	3	1
3	6	7	9	2	1	8	5	4
2	1	4	8	3	5	7	9	6
7	2	8	5	9	4	6	1	3
1	3	9	2	6	7	5	4	8
5	4	6	1	8	3	9	2	7
4	5	3	6	7	2	1	8	9
6	9	1	4	5	8	3	7	2
8	7	2	3	1	9	4	6	5

Solutions

No 187

1	6	8	5	3	9	7	2	4
3	4	5	2	1	7	9	6	8
7	2	9	4	6	8	5	3	1
5	3	7	1	4	6	8	9	2
8	1	2	9	7	3	4	5	6
4	9	6	8	5	2	3	1	7
6	7	1	3	8	5	2	4	9
2	8	3	6	9	4	1	7	5
9	5	4	7	2	1	6	8	3

No 188

7	2	9	4	6	5	1	3	8
6	1	4	8	7	3	9	5	2
5	3	8	2	1	9	7	6	4
4	7	1	5	8	2	6	9	3
2	6	5	9	3	1	8	4	7
8	9	3	7	4	6	2	1	5
9	4	7	1	5	8	3	2	6
1	5	6	3	2	7	4	8	9
3	8	2	6	9	4	5	7	1

No 189

4	6	8	2	3	1	5	9	7
2	9	7	8	5	4	6	1	3
1	3	5	9	7	6	8	2	4
3	7	4	5	6	9	2	8	1
8	5	1	7	4	2	9	3	6
9	2	6	1	8	3	7	4	5
7	1	2	3	9	5	4	6	8
5	4	9	6	1	8	3	7	2
6	8	3	4	2	7	1	5	9

No 190

1	9	7	5	3	4	8	6	2
3	6	2	7	8	9	4	5	1
8	4	5	2	1	6	9	3	7
5	7	9	6	2	3	1	8	4
6	8	3	4	7	1	5	2	9
4	2	1	9	5	8	3	7	6
2	5	4	3	9	7	6	1	8
9	3	8	1	6	2	7	4	5
7	1	6	8	4	5	2	9	3

No 191

7	2	5	8	1	6	3	9	4
3	8	9	7	4	5	6	1	2
6	4	1	2	9	3	7	8	5
5	9	4	6	7	1	8	2	3
8	1	7	3	2	9	5	4	6
2	3	6	4	5	8	1	7	9
1	6	3	9	8	4	2	5	7
4	7	8	5	6	2	9	3	1
9	5	2	1	3	7	4	6	8

No 192

9	4	1	7	3	6	2	5	8
3	2	6	4	5	8	7	1	9
7	5	8	9	1	2	4	6	3
8	3	5	2	9	1	6	4	7
4	6	7	5	8	3	1	9	2
1	9	2	6	7	4	8	3	5
6	7	4	3	2	9	5	8	1
2	1	9	8	4	5	3	7	6
5	8	3	1	6	7	9	2	4

Solutions

No 193

7	8	2	3	5	1	6	4	9
3	6	5	7	4	9	8	2	1
9	4	1	2	6	8	5	3	7
2	1	6	4	8	3	9	7	5
5	9	7	6	1	2	4	8	3
8	3	4	5	9	7	2	1	6
4	2	3	9	7	6	1	5	8
6	7	8	1	2	5	3	9	4
1	5	9	8	3	4	7	6	2

No 194

3	4	5	1	7	6	9	2	8
9	1	6	2	4	8	7	3	5
2	8	7	3	9	5	4	1	6
7	9	2	4	6	1	8	5	3
8	6	3	7	5	2	1	9	4
4	5	1	9	8	3	2	6	7
5	2	8	6	1	7	3	4	9
6	3	4	8	2	9	5	7	1
1	7	9	5	3	4	6	8	2

No 195

4	1	5	3	7	8	2	6	9
9	3	8	2	5	6	4	1	7
2	7	6	4	9	1	3	8	5
8	5	9	1	4	7	6	2	3
6	4	3	8	2	9	7	5	1
1	2	7	6	3	5	9	4	8
5	9	1	7	6	2	8	3	4
3	8	2	9	1	4	5	7	6
7	6	4	5	8	3	1	9	2

No 196

1	2	5	8	6	4	3	9	7
7	3	9	2	5	1	6	4	8
4	8	6	7	3	9	2	5	1
9	7	3	1	2	5	8	6	4
5	1	2	4	8	6	7	3	9
6	4	8	9	7	3	1	2	5
3	9	7	5	1	2	4	8	6
8	6	4	3	9	7	5	1	2
2	5	1	6	4	8	9	7	3

No 197

8	4	2	6	7	1	5	9	3
5	6	9	4	8	3	7	2	1
1	7	3	2	9	5	4	6	8
4	2	1	9	6	7	3	8	5
9	3	7	1	5	8	6	4	2
6	8	5	3	4	2	9	1	7
3	1	4	5	2	6	8	7	9
2	9	8	7	3	4	1	5	6
7	5	6	8	1	9	2	3	4

No 198

3	1	9	5	4	8	6	2	7
6	2	4	3	7	1	9	5	8
5	8	7	6	9	2	3	4	1
9	6	8	1	5	7	2	3	4
4	7	2	8	3	9	1	6	5
1	3	5	2	6	4	8	7	9
8	5	6	4	1	3	7	9	2
7	4	1	9	2	6	5	8	3
2	9	3	7	8	5	4	1	6

Solutions

No 199

1	3	8	7	4	5	2	6	9
5	9	7	2	6	1	8	4	3
6	4	2	3	8	9	1	5	7
3	6	9	8	1	2	4	7	5
8	7	5	4	9	3	6	2	1
4	2	1	6	5	7	9	3	8
2	5	4	9	3	8	7	1	6
7	8	3	1	2	6	5	9	4
9	1	6	5	7	4	3	8	2

No 200

8	4	7	5	1	3	9	6	2
6	9	3	8	2	7	5	1	4
2	1	5	6	4	9	7	8	3
9	6	4	2	7	5	8	3	1
7	8	2	1	3	6	4	9	5
5	3	1	4	9	8	2	7	6
3	2	8	9	6	4	1	5	7
1	5	6	7	8	2	3	4	9
4	7	9	3	5	1	6	2	8

No 201

9	2	8	6	7	4	1	3	5
4	3	7	2	5	1	6	9	8
6	1	5	9	3	8	4	7	2
3	4	2	7	1	5	8	6	9
7	8	6	3	9	2	5	1	4
1	5	9	4	8	6	7	2	3
5	7	4	1	2	9	3	8	6
2	6	1	8	4	3	9	5	7
8	9	3	5	6	7	2	4	1

No 202

3	6	2	1	5	4	9	8	7
1	5	4	8	7	9	3	6	2
7	9	8	3	6	2	4	5	1
2	4	5	6	1	3	7	9	8
8	1	3	9	4	7	5	2	6
9	7	6	5	2	8	1	4	3
6	3	1	4	8	5	2	7	9
5	8	7	2	9	1	6	3	4
4	2	9	7	3	6	8	1	5

No 203

9	8	7	5	4	6	1	3	2
4	3	1	7	2	9	6	8	5
6	2	5	1	3	8	4	9	7
8	1	6	3	7	4	5	2	9
3	5	4	6	9	2	8	7	1
2	7	9	8	5	1	3	6	4
5	6	8	2	1	7	9	4	3
7	4	3	9	6	5	2	1	8
1	9	2	4	8	3	7	5	6

No 204

5	8	2	4	6	9	1	3	7
6	9	7	3	1	5	8	2	4
1	3	4	2	8	7	6	5	9
7	5	6	9	4	1	3	8	2
9	2	1	8	5	3	4	7	6
3	4	8	7	2	6	9	1	5
8	6	5	1	9	2	7	4	3
4	7	9	5	3	8	2	6	1
2	1	3	6	7	4	5	9	8

Solutions

No 205

8	9	7	1	6	3	5	4	2
2	4	3	5	8	9	1	6	7
5	1	6	4	2	7	9	8	3
4	7	8	6	9	5	2	3	1
1	5	2	8	3	4	6	7	9
6	3	9	2	7	1	8	5	4
7	2	1	3	5	6	4	9	8
3	6	4	9	1	8	7	2	5
9	8	5	7	4	2	3	1	6

No 206

7	3	1	2	4	6	8	9	5
5	4	2	9	8	3	6	7	1
8	6	9	5	7	1	4	2	3
9	2	5	1	6	4	7	3	8
1	8	6	3	5	7	9	4	2
3	7	4	8	9	2	5	1	6
6	9	3	7	2	5	1	8	4
4	1	8	6	3	9	2	5	7
2	5	7	4	1	8	3	6	9

No 207

3	7	1	4	8	5	6	9	2
6	5	8	1	9	2	7	4	3
2	4	9	7	3	6	8	5	1
1	9	5	3	7	8	4	2	6
8	6	2	9	5	4	1	3	7
7	3	4	2	6	1	9	8	5
4	2	6	5	1	9	3	7	8
5	1	7	8	4	3	2	6	9
9	8	3	6	2	7	5	1	4

No 208

2	5	9	7	3	4	1	6	8
8	6	3	2	1	5	7	9	4
7	4	1	6	8	9	2	5	3
5	1	7	3	4	2	6	8	9
4	3	6	8	9	7	5	1	2
9	2	8	1	5	6	4	3	7
1	7	2	9	6	8	3	4	5
3	9	4	5	2	1	8	7	6
6	8	5	4	7	3	9	2	1

No 209

6	1	5	2	7	8	9	4	3
3	2	4	6	5	9	8	7	1
7	8	9	4	3	1	5	6	2
8	7	1	9	2	5	6	3	4
9	5	6	3	1	4	7	2	8
4	3	2	8	6	7	1	9	5
5	4	8	7	9	2	3	1	6
2	6	7	1	8	3	4	5	9
1	9	3	5	4	6	2	8	7

No 210

6	1	3	2	9	4	8	7	5
4	7	5	8	6	3	9	1	2
8	9	2	1	5	7	4	3	6
1	6	4	7	2	5	3	9	8
2	3	7	9	1	8	6	5	4
9	5	8	3	4	6	7	2	1
7	4	1	6	3	2	5	8	9
5	8	9	4	7	1	2	6	3
3	2	6	5	8	9	1	4	7

Solutions

No 211

9	2	6	8	4	5	3	7	1
4	8	5	7	3	1	2	6	9
7	1	3	2	9	6	5	8	4
3	9	7	1	2	4	6	5	8
5	6	1	3	8	7	9	4	2
8	4	2	6	5	9	1	3	7
6	5	9	4	1	8	7	2	3
1	3	4	5	7	2	8	9	6
2	7	8	9	6	3	4	1	5

No 212

9	7	2	3	1	4	8	5	6
4	6	8	5	7	9	3	2	1
1	3	5	6	8	2	7	4	9
6	8	1	7	9	5	2	3	4
2	4	3	1	6	8	9	7	5
7	5	9	2	4	3	1	6	8
5	9	7	8	2	6	4	1	3
3	2	4	9	5	1	6	8	7
8	1	6	4	3	7	5	9	2

No 213

7	3	6	4	9	5	2	8	1
1	5	2	8	6	3	4	7	9
8	4	9	7	1	2	3	6	5
2	9	5	3	7	1	8	4	6
4	6	7	2	8	9	5	1	3
3	1	8	5	4	6	7	9	2
9	2	4	6	5	8	1	3	7
6	8	3	1	2	7	9	5	4
5	7	1	9	3	4	6	2	8

No 214

7	3	9	8	1	2	6	4	5
1	4	2	3	5	6	8	9	7
5	6	8	9	4	7	3	2	1
3	8	5	4	2	9	7	1	6
9	7	4	1	6	3	2	5	8
2	1	6	7	8	5	4	3	9
6	2	3	5	9	8	1	7	4
4	9	7	6	3	1	5	8	2
8	5	1	2	7	4	9	6	3

No 215

9	3	1	7	4	2	8	6	5
4	2	5	8	9	6	1	7	3
7	8	6	5	1	3	2	9	4
5	7	9	4	8	1	3	2	6
2	1	8	3	6	9	4	5	7
3	6	4	2	5	7	9	8	1
1	4	7	9	2	5	6	3	8
8	9	3	6	7	4	5	1	2
6	5	2	1	3	8	7	4	9

No 216

5	7	1	8	6	3	4	2	9
3	8	2	9	4	7	5	1	6
6	4	9	1	5	2	8	3	7
2	3	8	4	9	5	7	6	1
9	1	4	7	3	6	2	5	8
7	6	5	2	8	1	3	9	4
1	9	7	5	2	4	6	8	3
4	5	3	6	1	8	9	7	2
8	2	6	3	7	9	1	4	5

Solutions

No 217

7	9	1	5	8	2	6	3	4
5	4	2	1	6	3	7	9	8
3	6	8	9	7	4	1	5	2
6	8	9	2	5	7	3	4	1
2	5	4	6	3	1	9	8	7
1	3	7	8	4	9	2	6	5
9	2	3	4	1	5	8	7	6
8	7	5	3	2	6	4	1	9
4	1	6	7	9	8	5	2	3

No 218

5	8	3	1	9	2	4	6	7
2	4	1	5	7	6	9	8	3
6	7	9	8	3	4	1	5	2
8	5	4	6	1	7	3	2	9
1	9	6	3	2	5	8	7	4
7	3	2	9	4	8	5	1	6
3	6	5	7	8	9	2	4	1
4	1	7	2	5	3	6	9	8
9	2	8	4	6	1	7	3	5

No 219

1	2	4	9	6	7	3	8	5
9	6	5	8	3	4	1	7	2
7	8	3	5	1	2	6	4	9
5	1	8	4	7	6	9	2	3
2	9	6	1	8	3	7	5	4
4	3	7	2	9	5	8	1	6
3	4	1	6	2	8	5	9	7
6	5	9	7	4	1	2	3	8
8	7	2	3	5	9	4	6	1

No 220

5	3	4	8	9	6	7	2	1
8	1	7	5	2	3	9	6	4
2	9	6	7	4	1	8	5	3
4	7	9	3	6	5	1	8	2
1	5	2	9	8	7	3	4	6
3	6	8	2	1	4	5	7	9
7	4	5	6	3	9	2	1	8
9	8	1	4	5	2	6	3	7
6	2	3	1	7	8	4	9	5

No 221

5	7	3	4	9	8	6	1	2
4	8	2	7	6	1	5	9	3
1	9	6	2	5	3	8	7	4
9	3	5	8	2	4	7	6	1
6	2	4	9	1	7	3	8	5
7	1	8	6	3	5	4	2	9
3	5	7	1	8	9	2	4	6
8	6	1	3	4	2	9	5	7
2	4	9	5	7	6	1	3	8

No 222

1	6	4	8	2	7	5	3	9
7	9	5	3	4	6	2	8	1
2	8	3	5	1	9	4	7	6
3	4	7	1	9	5	6	2	8
8	2	6	4	7	3	9	1	5
5	1	9	6	8	2	7	4	3
9	7	8	2	5	1	3	6	4
4	3	2	9	6	8	1	5	7
6	5	1	7	3	4	8	9	2

Solutions

No 223

6	7	2	1	8	4	3	9	5
1	8	3	9	5	2	6	4	7
4	5	9	7	3	6	8	1	2
3	2	1	5	9	8	4	7	6
8	4	7	2	6	3	9	5	1
9	6	5	4	7	1	2	8	3
5	1	8	6	2	9	7	3	4
2	9	4	3	1	7	5	6	8
7	3	6	8	4	5	1	2	9

No 224

4	7	8	6	5	2	1	3	9
9	3	5	7	1	8	6	2	4
1	6	2	3	9	4	7	5	8
7	8	1	4	6	3	5	9	2
6	5	9	2	8	1	3	4	7
3	2	4	9	7	5	8	6	1
2	4	6	1	3	7	9	8	5
5	9	7	8	2	6	4	1	3
8	1	3	5	4	9	2	7	6

No 225

7	1	4	3	6	8	5	9	2
5	9	6	1	2	4	3	8	7
3	2	8	5	7	9	1	4	6
4	6	7	9	5	2	8	3	1
8	5	1	4	3	7	2	6	9
9	3	2	8	1	6	7	5	4
6	7	9	2	8	3	4	1	5
2	8	5	6	4	1	9	7	3
1	4	3	7	9	5	6	2	8

No 226

6	1	8	3	9	5	7	2	4
9	4	2	8	7	1	5	6	3
5	7	3	6	2	4	8	9	1
2	8	6	4	3	9	1	5	7
7	3	5	2	1	8	6	4	9
4	9	1	5	6	7	3	8	2
8	2	9	7	5	3	4	1	6
1	5	7	9	4	6	2	3	8
3	6	4	1	8	2	9	7	5

No 227

3	8	1	5	2	6	4	7	9
6	4	5	7	9	8	1	3	2
2	7	9	4	1	3	5	6	8
7	9	3	2	6	5	8	1	4
5	2	6	1	8	4	3	9	7
4	1	8	3	7	9	6	2	5
8	5	2	6	3	7	9	4	1
9	6	7	8	4	1	2	5	3
1	3	4	9	5	2	7	8	6

No 228

6	3	8	9	5	4	7	1	2
4	9	1	2	8	7	5	6	3
7	2	5	3	1	6	4	9	8
2	7	6	1	4	9	3	8	5
1	8	9	5	7	3	2	4	6
5	4	3	8	6	2	9	7	1
9	5	7	6	3	8	1	2	4
8	1	2	4	9	5	6	3	7
3	6	4	7	2	1	8	5	9

Solutions

No 229

2	8	3	4	5	7	6	9	1
6	9	7	1	2	8	5	3	4
4	5	1	3	9	6	8	7	2
1	3	8	7	4	5	9	2	6
7	4	5	9	6	2	1	8	3
9	2	6	8	1	3	7	4	5
8	1	2	6	3	9	4	5	7
3	7	4	5	8	1	2	6	9
5	6	9	2	7	4	3	1	8

No 230

7	3	4	6	1	5	8	2	9
2	9	8	4	3	7	5	1	6
6	5	1	2	8	9	3	4	7
8	2	9	3	7	4	6	5	1
1	6	5	8	9	2	7	3	4
4	7	3	1	5	6	9	8	2
5	1	6	9	2	8	4	7	3
3	4	7	5	6	1	2	9	8
9	8	2	7	4	3	1	6	5

No 231

4	5	6	2	3	1	8	9	7
7	1	2	9	8	5	3	6	4
3	9	8	4	6	7	5	1	2
6	4	5	3	9	8	2	7	1
9	8	3	7	1	2	6	4	5
2	7	1	5	4	6	9	3	8
1	2	9	6	5	4	7	8	3
5	3	4	8	7	9	1	2	6
8	6	7	1	2	3	4	5	9

No 232

2	3	9	6	4	7	1	8	5
6	5	4	2	1	8	9	7	3
7	1	8	9	5	3	2	4	6
3	9	1	5	8	4	7	6	2
5	4	7	1	2	6	8	3	9
8	2	6	3	7	9	4	5	1
4	6	3	8	9	1	5	2	7
1	8	5	7	6	2	3	9	4
9	7	2	4	3	5	6	1	8

No 233

8	2	9	1	3	6	7	4	5
4	7	1	5	2	8	3	9	6
5	6	3	7	4	9	2	1	8
2	1	4	6	9	3	5	8	7
6	8	7	4	5	1	9	3	2
3	9	5	8	7	2	1	6	4
7	3	6	2	1	4	8	5	9
9	5	8	3	6	7	4	2	1
1	4	2	9	8	5	6	7	3

No 234

4	6	8	9	3	7	5	2	1
9	2	1	8	6	5	3	4	7
3	7	5	1	2	4	8	9	6
8	5	7	2	9	1	6	3	4
2	9	6	4	5	3	1	7	8
1	4	3	6	7	8	2	5	9
7	1	2	5	8	9	4	6	3
6	3	4	7	1	2	9	8	5
5	8	9	3	4	6	7	1	2

Solutions

No 235

7	1	9	2	6	3	8	5	4
8	6	2	4	1	5	3	7	9
4	5	3	7	8	9	1	2	6
1	8	6	3	4	2	5	9	7
5	2	7	1	9	6	4	8	3
3	9	4	8	5	7	2	6	1
9	4	5	6	2	1	7	3	8
6	7	1	5	3	8	9	4	2
2	3	8	9	7	4	6	1	5

No 236

6	4	1	3	2	7	5	8	9
7	2	9	6	5	8	3	4	1
3	8	5	1	9	4	2	6	7
2	3	7	9	4	6	8	1	5
5	1	8	7	3	2	6	9	4
4	9	6	8	1	5	7	3	2
8	6	4	2	7	9	1	5	3
9	7	3	5	8	1	4	2	6
1	5	2	4	6	3	9	7	8

No 237

1	9	6	8	4	7	5	2	3
8	5	4	6	3	2	7	1	9
2	7	3	1	9	5	4	6	8
7	3	8	9	2	6	1	4	5
6	4	1	3	5	8	2	9	7
5	2	9	4	7	1	8	3	6
3	6	2	7	8	4	9	5	1
9	8	5	2	1	3	6	7	4
4	1	7	5	6	9	3	8	2

No 238

9	4	5	2	7	6	8	3	1
3	7	6	1	8	9	2	4	5
8	1	2	3	4	5	6	9	7
5	3	8	6	1	7	4	2	9
4	9	7	8	2	3	5	1	6
6	2	1	5	9	4	7	8	3
1	5	4	9	6	2	3	7	8
2	6	9	7	3	8	1	5	4
7	8	3	4	5	1	9	6	2

No 239

9	2	7	3	8	6	4	1	5
3	5	8	1	4	7	9	2	6
4	1	6	5	2	9	7	3	8
8	4	1	6	9	5	2	7	3
7	6	9	2	3	1	5	8	4
5	3	2	4	7	8	6	9	1
1	7	3	9	5	4	8	6	2
6	9	5	8	1	2	3	4	7
2	8	4	7	6	3	1	5	9

No 240

4	6	1	7	3	9	5	8	2
5	8	2	6	1	4	3	9	7
3	9	7	8	2	5	1	4	6
7	3	9	5	8	2	6	1	4
2	5	8	4	6	1	7	3	9
1	4	6	9	7	3	2	5	8
6	1	4	3	9	7	8	2	5
8	2	5	1	4	6	9	7	3
9	7	3	2	5	8	4	6	1

Solutions

No 241

4	5	2	1	7	8	9	6	3
9	1	8	6	5	3	7	4	2
6	3	7	4	9	2	5	1	8
7	9	6	5	8	1	3	2	4
3	8	4	7	2	6	1	9	5
5	2	1	9	3	4	6	8	7
2	6	3	8	1	7	4	5	9
8	4	5	3	6	9	2	7	1
1	7	9	2	4	5	8	3	6

No 242

1	3	8	5	4	6	7	2	9
4	9	2	7	3	8	5	1	6
7	6	5	2	1	9	8	3	4
9	5	4	6	2	1	3	7	8
8	2	1	9	7	3	4	6	5
3	7	6	8	5	4	1	9	2
5	8	3	1	9	2	6	4	7
6	4	9	3	8	7	2	5	1
2	1	7	4	6	5	9	8	3

No 243

8	3	1	9	4	6	2	5	7
2	9	6	7	1	5	4	8	3
7	4	5	3	2	8	1	6	9
6	2	7	4	8	9	3	1	5
5	8	9	1	6	3	7	2	4
4	1	3	2	5	7	8	9	6
9	5	2	8	3	4	6	7	1
1	7	4	6	9	2	5	3	8
3	6	8	5	7	1	9	4	2

No 244

8	5	1	4	7	3	2	9	6
3	2	4	6	5	9	8	7	1
9	7	6	1	2	8	4	3	5
6	8	9	2	3	4	5	1	7
2	4	5	7	9	1	3	6	8
7	1	3	5	8	6	9	4	2
4	9	7	8	1	5	6	2	3
5	6	2	3	4	7	1	8	9
1	3	8	9	6	2	7	5	4

No 245

8	6	1	9	2	7	3	4	5
4	7	9	5	3	6	1	8	2
2	5	3	8	1	4	9	6	7
6	1	4	7	5	2	8	9	3
9	2	7	4	8	3	6	5	1
3	8	5	1	6	9	7	2	4
7	9	2	3	4	8	5	1	6
1	3	6	2	9	5	4	7	8
5	4	8	6	7	1	2	3	9

No 246

7	3	2	6	9	1	8	5	4
6	5	9	4	8	3	2	7	1
1	4	8	2	5	7	9	6	3
4	9	6	8	1	2	7	3	5
5	2	7	3	4	9	1	8	6
8	1	3	7	6	5	4	9	2
3	6	4	1	7	8	5	2	9
2	7	5	9	3	4	6	1	8
9	8	1	5	2	6	3	4	7

Solutions

No 247

4	3	1	6	7	2	5	8	9
2	7	5	8	9	3	1	4	6
9	6	8	1	4	5	7	2	3
3	8	7	4	2	1	9	6	5
6	9	4	3	5	7	8	1	2
5	1	2	9	6	8	4	3	7
7	4	3	2	8	9	6	5	1
8	2	9	5	1	6	3	7	4
1	5	6	7	3	4	2	9	8

No 248

8	1	5	9	4	2	6	7	3
3	2	6	5	7	1	4	8	9
4	9	7	6	8	3	1	2	5
1	6	2	7	3	5	8	9	4
9	5	3	8	1	4	2	6	7
7	4	8	2	6	9	5	3	1
5	8	4	3	2	7	9	1	6
6	3	1	4	9	8	7	5	2
2	7	9	1	5	6	3	4	8

No 249

3	9	1	4	2	7	5	8	6
7	4	8	6	9	5	3	2	1
2	6	5	3	1	8	9	7	4
5	1	7	9	6	2	8	4	3
9	3	4	5	8	1	2	6	7
8	2	6	7	3	4	1	9	5
1	7	9	8	5	6	4	3	2
6	8	2	1	4	3	7	5	9
4	5	3	2	7	9	6	1	8

No 250

7	3	1	9	6	2	8	4	5
2	4	9	3	5	8	1	7	6
5	6	8	1	4	7	3	2	9
1	2	4	7	9	6	5	8	3
9	8	6	2	3	5	4	1	7
3	5	7	8	1	4	6	9	2
6	9	3	4	7	1	2	5	8
4	7	2	5	8	3	9	6	1
8	1	5	6	2	9	7	3	4

No 251

8	4	1	6	5	7	2	9	3
3	6	2	4	8	9	1	5	7
5	7	9	2	1	3	8	4	6
7	2	6	1	9	4	3	8	5
9	5	4	8	3	6	7	1	2
1	3	8	7	2	5	9	6	4
6	8	5	9	7	2	4	3	1
2	9	3	5	4	1	6	7	8
4	1	7	3	6	8	5	2	9

No 252

1	4	8	9	5	7	2	3	6
2	7	9	3	1	6	4	8	5
5	6	3	8	2	4	9	1	7
8	5	7	1	4	3	6	2	9
9	2	1	5	6	8	7	4	3
4	3	6	2	7	9	1	5	8
6	9	5	4	8	1	3	7	2
3	1	2	7	9	5	8	6	4
7	8	4	6	3	2	5	9	1

Solutions

No 253

7	2	6	3	8	4	9	1	5
9	3	8	5	1	7	4	2	6
4	5	1	2	9	6	8	7	3
2	4	3	7	6	9	1	5	8
6	1	7	8	2	5	3	9	4
5	8	9	1	4	3	7	6	2
3	9	2	6	7	8	5	4	1
1	7	5	4	3	2	6	8	9
8	6	4	9	5	1	2	3	7

No 254

1	6	9	4	3	7	2	5	8
3	7	5	2	8	9	1	6	4
8	2	4	1	6	5	3	7	9
9	5	1	3	7	4	8	2	6
7	4	3	6	2	8	5	9	1
6	8	2	9	5	1	4	3	7
4	9	7	5	1	3	6	8	2
5	1	6	8	9	2	7	4	3
2	3	8	7	4	6	9	1	5

No 255

2	6	5	8	4	9	3	7	1
1	3	9	7	6	5	4	2	8
7	8	4	3	1	2	5	9	6
5	7	6	2	9	8	1	3	4
8	9	2	4	3	1	7	6	5
4	1	3	6	5	7	9	8	2
6	5	7	1	2	3	8	4	9
9	2	8	5	7	4	6	1	3
3	4	1	9	8	6	2	5	7

No 256

1	5	2	4	9	6	8	7	3
9	8	3	7	1	2	4	5	6
6	4	7	8	5	3	9	2	1
2	3	8	1	6	5	7	9	4
5	7	9	3	4	8	6	1	2
4	1	6	2	7	9	5	3	8
7	6	1	9	2	4	3	8	5
8	2	5	6	3	7	1	4	9
3	9	4	5	8	1	2	6	7

No 257

1	4	7	9	5	2	8	3	6
3	6	2	1	4	8	9	7	5
5	8	9	3	6	7	1	2	4
9	1	6	2	8	4	7	5	3
2	3	5	7	9	1	4	6	8
8	7	4	6	3	5	2	1	9
4	5	1	8	2	3	6	9	7
6	2	3	4	7	9	5	8	1
7	9	8	5	1	6	3	4	2

No 258

4	2	1	8	6	5	7	3	9
9	7	3	1	4	2	5	8	6
6	5	8	3	9	7	2	1	4
1	4	5	7	8	6	9	2	3
8	6	7	2	3	9	4	5	1
3	9	2	5	1	4	6	7	8
7	8	9	4	2	3	1	6	5
5	1	6	9	7	8	3	4	2
2	3	4	6	5	1	8	9	7

Solutions

No 259

7	4	6	2	3	5	1	8	9
9	1	8	4	7	6	2	5	3
3	2	5	1	9	8	4	6	7
2	6	3	5	1	9	8	7	4
1	5	9	8	4	7	6	3	2
4	8	7	6	2	3	5	9	1
8	9	4	7	6	2	3	1	5
5	3	1	9	8	4	7	2	6
6	7	2	3	5	1	9	4	8

No 260

9	5	1	2	8	4	3	7	6
2	6	8	5	3	7	4	1	9
7	4	3	6	9	1	5	8	2
6	1	5	4	2	8	9	3	7
4	8	2	3	7	9	1	6	5
3	7	9	1	6	5	2	4	8
5	2	4	8	1	6	7	9	3
1	9	6	7	5	3	8	2	4
8	3	7	9	4	2	6	5	1

No 261

5	2	7	1	9	6	4	3	8
6	3	8	5	2	4	9	1	7
4	1	9	3	7	8	2	6	5
2	4	5	6	3	7	1	8	9
9	8	1	2	4	5	6	7	3
3	7	6	9	8	1	5	4	2
1	6	3	7	5	2	8	9	4
8	9	2	4	6	3	7	5	1
7	5	4	8	1	9	3	2	6

No 262

4	5	7	3	8	1	6	9	2
8	2	1	6	5	9	3	4	7
9	3	6	7	2	4	1	5	8
6	4	5	9	7	2	8	1	3
7	1	2	4	3	8	5	6	9
3	8	9	1	6	5	2	7	4
1	6	8	2	4	7	9	3	5
2	7	3	5	9	6	4	8	1
5	9	4	8	1	3	7	2	6

No 263

9	3	5	6	4	8	1	2	7
1	2	4	9	5	7	3	6	8
8	7	6	3	1	2	9	4	5
5	6	8	1	9	4	2	7	3
3	4	1	2	7	5	6	8	9
2	9	7	8	3	6	4	5	1
7	8	3	4	6	1	5	9	2
4	5	9	7	2	3	8	1	6
6	1	2	5	8	9	7	3	4

No 264

9	6	2	5	4	7	3	1	8
5	4	1	8	9	3	7	6	2
7	3	8	6	2	1	9	4	5
6	9	3	2	1	5	8	7	4
1	2	7	4	6	8	5	9	3
8	5	4	7	3	9	1	2	6
3	1	6	9	5	4	2	8	7
2	8	9	3	7	6	4	5	1
4	7	5	1	8	2	6	3	9

Solutions

No 265

7	4	5	2	1	9	6	3	8
8	1	3	5	4	6	9	7	2
2	9	6	7	8	3	5	1	4
6	7	8	3	5	2	4	9	1
1	3	2	6	9	4	7	8	5
4	5	9	1	7	8	3	2	6
9	8	1	4	3	5	2	6	7
5	6	7	9	2	1	8	4	3
3	2	4	8	6	7	1	5	9

No 266

9	8	7	3	2	6	4	1	5
3	1	5	9	7	4	8	6	2
2	4	6	8	1	5	3	7	9
5	2	1	4	9	7	6	8	3
8	6	3	1	5	2	7	9	4
7	9	4	6	3	8	5	2	1
4	7	9	5	8	1	2	3	6
6	3	8	2	4	9	1	5	7
1	5	2	7	6	3	9	4	8

No 267

9	2	6	8	5	7	4	3	1
8	4	1	2	9	3	7	5	6
5	7	3	4	6	1	9	2	8
7	3	8	1	4	9	5	6	2
2	6	9	5	7	8	1	4	3
1	5	4	6	3	2	8	7	9
4	1	7	9	2	6	3	8	5
6	9	5	3	8	4	2	1	7
3	8	2	7	1	5	6	9	4

No 268

4	8	6	1	5	2	9	7	3
1	5	2	3	7	9	6	4	8
9	7	3	4	6	8	2	5	1
6	4	8	9	2	7	3	1	5
5	3	7	6	1	4	8	2	9
2	1	9	8	3	5	4	6	7
7	9	1	2	4	3	5	8	6
3	6	4	5	8	1	7	9	2
8	2	5	7	9	6	1	3	4

No 269

2	8	4	6	1	7	9	5	3
7	5	1	4	3	9	8	2	6
9	3	6	2	8	5	7	4	1
5	9	7	1	6	2	4	3	8
6	2	3	8	5	4	1	7	9
1	4	8	7	9	3	2	6	5
4	6	9	5	7	8	3	1	2
3	1	2	9	4	6	5	8	7
8	7	5	3	2	1	6	9	4

No 270

2	3	5	9	8	4	6	7	1
8	7	4	1	6	2	9	3	5
9	1	6	3	5	7	2	8	4
1	8	2	5	4	3	7	6	9
6	5	9	2	7	8	4	1	3
3	4	7	6	9	1	8	5	2
5	2	8	4	1	6	3	9	7
4	6	1	7	3	9	5	2	8
7	9	3	8	2	5	1	4	6

Solutions

No 271

6	2	4	9	8	5	3	1	7
1	5	3	4	6	7	8	9	2
8	9	7	1	2	3	4	5	6
3	1	5	7	9	8	2	6	4
2	4	6	5	3	1	9	7	8
7	8	9	2	4	6	5	3	1
5	6	8	3	1	2	7	4	9
9	7	2	6	5	4	1	8	3
4	3	1	8	7	9	6	2	5

No 272

4	2	8	5	1	3	6	9	7
9	7	6	4	2	8	3	1	5
5	3	1	7	9	6	4	2	8
1	5	4	6	8	9	7	3	2
7	8	9	3	5	2	1	4	6
3	6	2	1	4	7	8	5	9
2	9	3	8	6	1	5	7	4
6	1	5	2	7	4	9	8	3
8	4	7	9	3	5	2	6	1

No 273

2	1	3	5	8	6	9	4	7
9	5	6	7	3	4	8	2	1
7	8	4	1	9	2	3	6	5
8	3	1	9	4	7	2	5	6
4	2	5	3	6	1	7	9	8
6	9	7	8	2	5	1	3	4
5	4	9	2	1	8	6	7	3
3	7	8	6	5	9	4	1	2
1	6	2	4	7	3	5	8	9

No 274

2	9	8	4	5	1	3	7	6
5	4	7	8	6	3	2	9	1
6	3	1	7	9	2	5	4	8
8	7	2	1	4	5	6	3	9
4	1	5	6	3	9	7	8	2
9	6	3	2	7	8	1	5	4
1	8	4	5	2	7	9	6	3
7	2	9	3	8	6	4	1	5
3	5	6	9	1	4	8	2	7

No 275

5	6	2	3	9	7	4	8	1
8	1	4	6	5	2	3	7	9
9	3	7	4	1	8	2	5	6
1	4	8	2	6	5	7	9	3
6	2	5	7	3	9	8	1	4
3	7	9	8	4	1	5	6	2
4	8	1	5	2	6	9	3	7
7	9	3	1	8	4	6	2	5
2	5	6	9	7	3	1	4	8

No 276

4	3	5	8	2	6	7	1	9
7	8	6	1	9	4	2	5	3
1	2	9	5	7	3	6	8	4
8	5	2	3	1	7	4	9	6
9	4	1	2	6	8	3	7	5
3	6	7	4	5	9	8	2	1
6	7	4	9	8	5	1	3	2
2	9	3	7	4	1	5	6	8
5	1	8	6	3	2	9	4	7

Solutions

No 277

7	1	8	9	2	4	6	3	5
9	4	3	5	6	1	2	7	8
6	5	2	8	7	3	4	9	1
4	8	7	1	9	5	3	2	6
1	6	9	3	4	2	8	5	7
3	2	5	7	8	6	1	4	9
8	3	1	2	5	9	7	6	4
2	9	4	6	1	7	5	8	3
5	7	6	4	3	8	9	1	2

No 278

7	5	2	4	8	3	9	1	6
3	4	8	9	1	6	2	5	7
9	1	6	7	2	5	8	3	4
5	3	7	6	4	2	1	9	8
2	8	4	1	7	9	5	6	3
1	6	9	3	5	8	7	4	2
6	2	5	8	3	1	4	7	9
8	7	3	5	9	4	6	2	1
4	9	1	2	6	7	3	8	5

No 279

6	3	1	7	8	4	5	2	9
4	8	7	9	2	5	6	3	1
5	2	9	1	3	6	4	8	7
9	6	3	8	4	1	7	5	2
7	5	2	3	6	9	1	4	8
1	4	8	2	5	7	9	6	3
8	7	5	6	9	2	3	1	4
2	9	6	4	1	3	8	7	5
3	1	4	5	7	8	2	9	6

No 280

8	1	6	3	2	5	9	4	7
7	4	2	1	9	6	3	5	8
3	9	5	8	7	4	1	6	2
1	7	9	4	6	8	2	3	5
5	8	4	2	3	1	7	9	6
2	6	3	9	5	7	8	1	4
9	3	7	5	4	2	6	8	1
6	5	1	7	8	9	4	2	3
4	2	8	6	1	3	5	7	9

No 281

8	3	7	4	6	1	2	5	9
6	2	9	8	5	3	1	7	4
1	5	4	9	7	2	3	6	8
7	4	5	6	3	8	9	1	2
3	9	1	5	2	4	6	8	7
2	8	6	7	1	9	5	4	3
4	1	2	3	8	5	7	9	6
5	7	8	2	9	6	4	3	1
9	6	3	1	4	7	8	2	5

No 282

5	6	9	3	2	8	1	7	4
2	8	4	9	1	7	5	3	6
3	1	7	6	4	5	9	2	8
4	9	3	5	8	2	6	1	7
6	5	1	4	7	3	2	8	9
7	2	8	1	6	9	3	4	5
1	4	2	8	5	6	7	9	3
9	7	6	2	3	4	8	5	1
8	3	5	7	9	1	4	6	2

Solutions

No 283

8	7	6	9	1	4	5	2	3
3	5	2	6	8	7	4	9	1
1	4	9	2	3	5	7	6	8
5	9	3	8	7	2	6	1	4
4	6	1	3	5	9	2	8	7
7	2	8	1	4	6	9	3	5
6	8	4	5	9	1	3	7	2
2	3	7	4	6	8	1	5	9
9	1	5	7	2	3	8	4	6

No 284

3	6	5	2	9	1	8	4	7
1	4	8	7	5	6	3	9	2
9	2	7	4	8	3	1	5	6
6	1	9	8	3	2	4	7	5
8	7	2	5	1	4	6	3	9
5	3	4	9	6	7	2	1	8
2	8	3	1	7	9	5	6	4
4	9	1	6	2	5	7	8	3
7	5	6	3	4	8	9	2	1

No 285

5	8	6	4	9	2	7	3	1
2	4	1	7	3	5	6	9	8
3	7	9	8	1	6	4	5	2
6	2	3	5	4	8	1	7	9
7	9	4	6	2	1	5	8	3
1	5	8	9	7	3	2	4	6
8	3	2	1	5	4	9	6	7
9	1	5	3	6	7	8	2	4
4	6	7	2	8	9	3	1	5

No 286

3	8	7	2	5	6	4	9	1
5	6	9	1	4	3	7	2	8
1	4	2	8	7	9	6	5	3
4	9	5	7	2	8	3	1	6
8	1	6	9	3	5	2	7	4
7	2	3	4	6	1	9	8	5
9	5	4	3	1	2	8	6	7
2	3	1	6	8	7	5	4	9
6	7	8	5	9	4	1	3	2

No 287

6	4	5	7	2	3	8	1	9
7	2	9	6	1	8	3	4	5
1	3	8	5	9	4	6	7	2
9	1	2	4	6	5	7	8	3
5	7	4	8	3	2	9	6	1
8	6	3	1	7	9	5	2	4
3	9	6	2	4	7	1	5	8
2	8	7	9	5	1	4	3	6
4	5	1	3	8	6	2	9	7

No 288

3	9	1	4	5	8	2	6	7
2	6	7	1	9	3	4	8	5
8	5	4	2	6	7	9	1	3
7	4	9	5	2	1	8	3	6
5	2	3	8	4	6	1	7	9
1	8	6	3	7	9	5	4	2
9	7	8	6	1	2	3	5	4
4	1	2	7	3	5	6	9	8
6	3	5	9	8	4	7	2	1

Solutions

No 289

3	2	6	7	4	5	1	9	8
5	1	9	6	3	8	2	7	4
7	8	4	9	1	2	5	3	6
8	3	5	2	9	7	4	6	1
6	9	7	4	8	1	3	2	5
2	4	1	3	5	6	7	8	9
1	7	8	5	2	9	6	4	3
9	6	3	1	7	4	8	5	2
4	5	2	8	6	3	9	1	7

No 290

2	7	5	8	3	9	6	4	1
3	1	8	6	7	4	2	5	9
9	4	6	5	1	2	7	3	8
4	9	3	2	8	1	5	7	6
5	2	1	7	4	6	9	8	3
8	6	7	9	5	3	4	1	2
7	8	2	3	6	5	1	9	4
1	3	9	4	2	7	8	6	5
6	5	4	1	9	8	3	2	7

No 291

2	6	9	5	8	3	1	7	4
1	8	3	7	4	2	9	6	5
7	5	4	9	1	6	2	3	8
3	7	1	6	9	4	5	8	2
4	9	6	2	5	8	7	1	3
5	2	8	3	7	1	4	9	6
9	4	2	8	6	7	3	5	1
8	1	5	4	3	9	6	2	7
6	3	7	1	2	5	8	4	9

No 292

7	3	1	9	8	5	6	2	4
6	2	4	7	3	1	9	8	5
9	8	5	6	2	4	7	3	1
2	4	9	3	1	6	8	5	7
3	1	6	8	5	7	2	4	9
8	5	7	2	4	9	3	1	6
4	9	8	1	6	2	5	7	3
5	7	3	4	9	8	1	6	2
1	6	2	5	7	3	4	9	8

No 293

4	6	8	5	7	9	3	1	2
2	7	1	8	3	4	9	6	5
9	3	5	1	6	2	4	8	7
1	9	6	4	5	3	7	2	8
3	2	7	9	8	6	5	4	1
8	5	4	2	1	7	6	9	3
5	1	9	7	4	8	2	3	6
7	4	3	6	2	1	8	5	9
6	8	2	3	9	5	1	7	4

No 294

8	5	6	7	4	3	2	1	9
4	3	9	8	2	1	7	6	5
7	2	1	6	5	9	8	3	4
1	8	4	9	6	2	5	7	3
6	7	2	3	8	5	4	9	1
3	9	5	1	7	4	6	8	2
9	4	7	5	1	6	3	2	8
2	1	8	4	3	7	9	5	6
5	6	3	2	9	8	1	4	7

Solutions

No 295

4	5	3	7	9	1	6	2	8
6	2	8	5	4	3	7	1	9
1	9	7	8	2	6	3	4	5
2	8	6	3	5	4	1	9	7
9	7	1	6	8	2	4	5	3
5	3	4	1	7	9	2	8	6
7	1	9	2	6	8	5	3	4
3	4	5	9	1	7	8	6	2
8	6	2	4	3	5	9	7	1

No 296

3	5	9	4	1	6	7	2	8
7	6	2	8	3	9	1	4	5
8	1	4	2	7	5	6	3	9
5	3	1	7	2	4	8	9	6
9	7	6	5	8	3	2	1	4
2	4	8	9	6	1	3	5	7
1	9	7	6	5	2	4	8	3
6	2	5	3	4	8	9	7	1
4	8	3	1	9	7	5	6	2

No 297

9	3	2	4	5	8	7	6	1
6	8	4	7	1	2	5	3	9
5	1	7	3	9	6	2	8	4
4	2	8	5	3	9	1	7	6
1	7	6	2	8	4	3	9	5
3	5	9	6	7	1	4	2	8
8	4	1	9	2	3	6	5	7
2	9	5	1	6	7	8	4	3
7	6	3	8	4	5	9	1	2

No 298

6	3	4	2	8	9	5	1	7
8	5	2	6	1	7	3	4	9
1	9	7	4	3	5	8	2	6
9	1	3	8	2	4	6	7	5
7	8	5	9	6	1	2	3	4
2	4	6	7	5	3	1	9	8
4	6	1	3	7	8	9	5	2
5	2	9	1	4	6	7	8	3
3	7	8	5	9	2	4	6	1

No 299

1	8	3	9	5	7	2	4	6
4	6	2	8	3	1	7	9	5
5	7	9	6	2	4	3	8	1
9	2	5	7	6	3	8	1	4
7	4	1	5	8	9	6	3	2
6	3	8	4	1	2	9	5	7
2	1	4	3	7	8	5	6	9
8	9	6	2	4	5	1	7	3
3	5	7	1	9	6	4	2	8

No 300

4	1	5	7	8	6	2	3	9
9	7	2	5	3	4	8	6	1
8	6	3	1	2	9	7	5	4
3	4	1	9	5	2	6	8	7
5	2	9	6	7	8	1	4	3
7	8	6	3	4	1	9	2	5
6	3	7	2	9	5	4	1	8
1	9	4	8	6	3	5	7	2
2	5	8	4	1	7	3	9	6

Solutions

No 301

6	4	1	8	5	2	3	7	9
5	9	8	3	1	7	2	4	6
3	7	2	4	6	9	8	5	1
7	2	3	9	8	5	6	1	4
1	6	4	2	7	3	9	8	5
9	8	5	1	4	6	7	2	3
8	1	9	6	2	4	5	3	7
2	5	6	7	3	1	4	9	8
4	3	7	5	9	8	1	6	2

No 302

7	4	5	2	6	1	3	9	8
9	8	1	3	5	7	4	2	6
2	3	6	4	8	9	5	1	7
3	6	7	1	2	8	9	5	4
1	5	9	7	4	6	2	8	3
4	2	8	9	3	5	7	6	1
6	1	2	5	7	3	8	4	9
5	9	3	8	1	4	6	7	2
8	7	4	6	9	2	1	3	5

No 303

1	8	9	4	7	3	6	2	5
3	2	7	5	6	8	9	1	4
5	6	4	9	2	1	7	3	8
2	9	1	3	5	6	8	4	7
6	5	3	7	8	4	1	9	2
7	4	8	2	1	9	3	5	6
8	1	5	6	9	2	4	7	3
9	3	2	8	4	7	5	6	1
4	7	6	1	3	5	2	8	9

No 304

7	9	1	4	2	8	6	5	3
6	2	5	1	3	9	8	4	7
4	8	3	7	5	6	1	9	2
5	3	2	6	9	7	4	8	1
8	1	6	5	4	3	2	7	9
9	7	4	8	1	2	5	3	6
2	6	7	9	8	4	3	1	5
3	5	8	2	7	1	9	6	4
1	4	9	3	6	5	7	2	8

No 305

4	5	6	9	7	2	8	3	1
1	7	3	5	4	8	9	2	6
9	8	2	1	3	6	5	7	4
6	1	7	3	2	9	4	5	8
2	9	4	7	8	5	6	1	3
8	3	5	4	6	1	2	9	7
5	4	9	6	1	3	7	8	2
7	2	1	8	5	4	3	6	9
3	6	8	2	9	7	1	4	5

No 306

3	5	2	8	1	4	7	6	9
1	8	7	6	2	9	3	4	5
6	9	4	5	3	7	1	2	8
2	6	1	3	9	5	4	8	7
9	7	3	1	4	8	2	5	6
5	4	8	7	6	2	9	1	3
4	1	6	9	8	3	5	7	2
7	2	9	4	5	6	8	3	1
8	3	5	2	7	1	6	9	4

Solutions

No 307

4	2	7	8	9	5	6	1	3
8	9	1	3	4	6	2	5	7
6	5	3	7	1	2	4	9	8
3	1	2	9	7	4	5	8	6
5	7	8	6	2	1	9	3	4
9	6	4	5	3	8	1	7	2
1	8	5	2	6	3	7	4	9
7	3	6	4	5	9	8	2	1
2	4	9	1	8	7	3	6	5

No 308

2	4	6	1	8	7	3	9	5
7	1	5	9	3	6	4	2	8
9	3	8	2	4	5	6	7	1
5	9	2	6	1	8	7	3	4
6	7	3	4	5	2	8	1	9
1	8	4	3	7	9	5	6	2
3	2	9	8	6	4	1	5	7
4	5	1	7	2	3	9	8	6
8	6	7	5	9	1	2	4	3

No 309

6	9	2	5	4	1	8	3	7
8	1	4	7	2	3	6	5	9
7	3	5	9	8	6	1	4	2
5	8	6	4	3	7	9	2	1
9	2	1	8	6	5	4	7	3
3	4	7	2	1	9	5	6	8
1	7	9	6	5	2	3	8	4
4	6	3	1	7	8	2	9	5
2	5	8	3	9	4	7	1	6

No 310

8	6	1	3	9	2	5	4	7
3	4	2	5	6	7	9	1	8
5	9	7	8	4	1	3	2	6
2	7	3	6	1	8	4	5	9
9	8	6	4	2	5	7	3	1
1	5	4	9	7	3	6	8	2
7	1	5	2	3	6	8	9	4
4	2	8	7	5	9	1	6	3
6	3	9	1	8	4	2	7	5

No 311

3	5	7	1	6	8	9	2	4
2	4	9	7	5	3	1	6	8
1	6	8	4	9	2	7	5	3
7	3	1	5	8	4	2	9	6
5	8	6	2	3	9	4	7	1
9	2	4	6	7	1	8	3	5
6	1	3	8	2	7	5	4	9
4	7	5	9	1	6	3	8	2
8	9	2	3	4	5	6	1	7

No 312

4	2	3	5	9	7	6	8	1
7	9	1	4	6	8	2	3	5
8	6	5	1	2	3	4	9	7
1	3	9	6	4	5	8	7	2
6	4	2	8	7	1	3	5	9
5	7	8	9	3	2	1	4	6
2	1	7	3	5	4	9	6	8
9	8	4	7	1	6	5	2	3
3	5	6	2	8	9	7	1	4

Solutions

No 313

4	6	8	7	5	2	3	9	1
1	3	2	9	8	6	7	5	4
7	5	9	1	3	4	6	2	8
8	2	7	3	6	1	9	4	5
3	9	5	2	4	8	1	6	7
6	4	1	5	9	7	2	8	3
2	8	3	6	7	5	4	1	9
9	1	4	8	2	3	5	7	6
5	7	6	4	1	9	8	3	2

No 314

4	1	7	8	3	9	5	2	6
2	3	9	5	6	1	8	7	4
6	5	8	2	7	4	9	3	1
1	8	4	6	5	3	7	9	2
5	2	6	7	9	8	1	4	3
9	7	3	4	1	2	6	8	5
7	4	1	3	8	6	2	5	9
3	6	5	9	2	7	4	1	8
8	9	2	1	4	5	3	6	7

No 315

5	8	6	3	2	7	4	9	1
2	9	4	1	8	5	7	6	3
1	7	3	9	6	4	5	2	8
3	2	9	8	7	1	6	4	5
8	5	1	4	9	6	2	3	7
4	6	7	2	5	3	8	1	9
7	4	5	6	3	9	1	8	2
6	3	8	5	1	2	9	7	4
9	1	2	7	4	8	3	5	6

No 316

5	7	4	9	1	3	2	6	8
1	3	6	2	8	5	4	9	7
9	8	2	6	4	7	3	5	1
4	1	3	5	2	8	6	7	9
7	6	9	1	3	4	5	8	2
2	5	8	7	6	9	1	3	4
3	4	1	8	7	6	9	2	5
6	9	7	4	5	2	8	1	3
8	2	5	3	9	1	7	4	6

No 317

9	3	7	5	2	4	6	1	8
5	6	2	8	1	9	4	7	3
8	4	1	6	3	7	2	5	9
7	8	9	2	6	5	3	4	1
1	2	6	4	9	3	7	8	5
3	5	4	1	7	8	9	6	2
6	9	8	3	4	1	5	2	7
4	1	3	7	5	2	8	9	6
2	7	5	9	8	6	1	3	4

No 318

6	1	5	2	3	7	8	9	4
3	2	9	8	1	4	5	7	6
7	8	4	6	9	5	1	3	2
8	7	1	4	2	9	6	5	3
5	3	6	7	8	1	4	2	9
9	4	2	5	6	3	7	8	1
4	9	7	1	5	2	3	6	8
1	6	3	9	7	8	2	4	5
2	5	8	3	4	6	9	1	7

No 319

7	3	6	2	8	4	1	5	9
4	9	8	1	5	6	7	3	2
5	2	1	7	3	9	6	4	8
2	6	3	5	4	1	8	9	7
1	4	7	9	6	8	5	2	3
9	8	5	3	2	7	4	6	1
8	5	9	6	1	2	3	7	4
6	1	2	4	7	3	9	8	5
3	7	4	8	9	5	2	1	6

No 320

1	3	2	8	5	7	6	4	9
6	5	4	9	1	3	7	8	2
8	9	7	2	6	4	5	3	1
2	7	6	3	9	1	8	5	4
3	1	9	4	8	5	2	7	6
5	4	8	7	2	6	1	9	3
7	6	1	5	4	9	3	2	8
4	2	3	1	7	8	9	6	5
9	8	5	6	3	2	4	1	7

No 321

8	4	9	7	1	3	2	5	6
5	7	2	9	6	4	8	3	1
1	6	3	5	2	8	9	4	7
6	2	1	4	3	7	5	9	8
7	3	8	1	9	5	4	6	2
9	5	4	2	8	6	1	7	3
4	8	5	3	7	2	6	1	9
3	9	6	8	5	1	7	2	4
2	1	7	6	4	9	3	8	5

No 322

1	7	6	9	8	3	5	2	4
5	9	3	1	2	4	7	6	8
4	8	2	6	7	5	3	1	9
6	5	4	3	1	9	2	8	7
8	2	1	4	5	7	6	9	3
9	3	7	2	6	8	1	4	5
7	6	8	5	4	1	9	3	2
3	1	5	8	9	2	4	7	6
2	4	9	7	3	6	8	5	1

No 323

7	3	5	6	9	2	4	1	8
4	1	6	7	5	8	9	3	2
9	2	8	4	1	3	5	7	6
5	4	7	3	6	1	2	8	9
6	9	2	5	8	7	3	4	1
3	8	1	2	4	9	7	6	5
1	7	3	8	2	5	6	9	4
8	5	4	9	3	6	1	2	7
2	6	9	1	7	4	8	5	3

No 324

2	8	1	7	5	6	9	3	4
3	7	9	4	1	2	6	5	8
6	5	4	9	3	8	1	2	7
8	9	3	2	4	7	5	1	6
4	2	7	5	6	1	8	9	3
5	1	6	8	9	3	4	7	2
7	4	2	1	8	9	3	6	5
1	6	5	3	2	4	7	8	9
9	3	8	6	7	5	2	4	1

Solutions

No 325

4	1	6	8	2	5	7	9	3
3	2	9	7	1	6	5	4	8
7	8	5	4	9	3	6	1	2
5	7	2	6	8	1	4	3	9
1	6	8	3	4	9	2	7	5
9	3	4	2	5	7	8	6	1
8	9	1	5	7	4	3	2	6
2	4	3	1	6	8	9	5	7
6	5	7	9	3	2	1	8	4

No 326

1	9	2	3	7	4	8	6	5
8	7	5	1	6	9	3	2	4
6	4	3	8	2	5	1	7	9
2	3	9	6	5	1	4	8	7
5	1	4	7	9	8	6	3	2
7	8	6	2	4	3	9	5	1
4	2	1	5	8	6	7	9	3
9	5	8	4	3	7	2	1	6
3	6	7	9	1	2	5	4	8

No 327

5	3	7	9	8	6	1	2	4
6	4	8	3	1	2	9	7	5
9	2	1	7	4	5	3	6	8
8	5	9	2	3	1	6	4	7
3	1	2	6	7	4	8	5	9
7	6	4	5	9	8	2	3	1
4	7	3	8	2	9	5	1	6
2	9	6	1	5	7	4	8	3
1	8	5	4	6	3	7	9	2

No 328

7	8	4	1	6	2	3	5	9
6	3	9	7	8	5	2	4	1
2	5	1	9	4	3	6	8	7
8	2	6	5	1	7	4	9	3
5	9	7	2	3	4	8	1	6
1	4	3	8	9	6	5	7	2
4	7	5	3	2	1	9	6	8
3	6	8	4	7	9	1	2	5
9	1	2	6	5	8	7	3	4

No 329

9	8	3	2	4	5	6	1	7
2	6	5	7	9	1	4	3	8
1	7	4	8	6	3	9	5	2
6	4	7	9	5	2	1	8	3
5	1	8	4	3	7	2	9	6
3	9	2	6	1	8	7	4	5
7	3	1	5	2	4	8	6	9
8	5	9	1	7	6	3	2	4
4	2	6	3	8	9	5	7	1

No 330

5	4	8	6	7	3	1	9	2
1	6	7	5	9	2	8	4	3
9	2	3	1	8	4	5	7	6
7	1	4	3	6	9	2	5	8
8	3	2	4	5	7	6	1	9
6	5	9	2	1	8	4	3	7
2	8	1	9	3	5	7	6	4
3	7	6	8	4	1	9	2	5
4	9	5	7	2	6	3	8	1

Solutions

No 331

9	2	3	6	5	4	7	8	1
1	6	8	3	9	7	5	2	4
7	5	4	2	8	1	6	3	9
4	9	7	5	2	8	1	6	3
6	3	2	1	4	9	8	7	5
8	1	5	7	3	6	4	9	2
3	7	6	9	1	5	2	4	8
2	4	1	8	7	3	9	5	6
5	8	9	4	6	2	3	1	7

No 332

8	9	1	2	7	6	4	3	5
6	2	7	5	4	3	1	8	9
3	5	4	9	1	8	7	6	2
5	1	8	7	6	9	3	2	4
9	7	6	4	3	2	8	5	1
2	4	3	1	8	5	6	9	7
4	8	5	6	9	1	2	7	3
1	6	9	3	2	7	5	4	8
7	3	2	8	5	4	9	1	6

No 333

3	2	1	8	9	6	7	5	4
5	7	8	4	3	2	9	1	6
9	4	6	1	5	7	8	3	2
1	5	7	2	8	9	6	4	3
2	8	4	5	6	3	1	7	9
6	9	3	7	1	4	5	2	8
8	1	2	9	4	5	3	6	7
4	6	9	3	7	1	2	8	5
7	3	5	6	2	8	4	9	1

No 334

7	4	5	2	8	3	1	9	6
2	1	3	9	6	7	5	4	8
8	6	9	5	1	4	7	3	2
1	2	6	3	4	5	8	7	9
3	9	7	8	2	1	6	5	4
5	8	4	7	9	6	3	2	1
6	7	2	1	5	9	4	8	3
9	5	1	4	3	8	2	6	7
4	3	8	6	7	2	9	1	5

No 335

1	4	7	8	9	6	2	3	5
2	6	9	3	5	1	4	8	7
8	5	3	2	4	7	1	9	6
3	7	4	9	2	5	6	1	8
6	8	5	7	1	4	3	2	9
9	1	2	6	8	3	7	5	4
4	3	1	5	6	8	9	7	2
5	2	6	1	7	9	8	4	3
7	9	8	4	3	2	5	6	1

No 336

9	6	7	4	8	1	5	2	3
2	3	5	9	6	7	1	8	4
1	8	4	2	5	3	7	6	9
5	2	3	1	7	8	4	9	6
6	4	8	5	9	2	3	7	1
7	9	1	3	4	6	2	5	8
8	1	9	7	2	4	6	3	5
3	7	6	8	1	5	9	4	2
4	5	2	6	3	9	8	1	7

Solutions

No 337

1	3	5	2	9	6	7	4	8
8	6	2	1	7	4	5	3	9
7	9	4	8	5	3	1	6	2
3	2	6	7	4	5	8	9	1
4	7	9	6	8	1	3	2	5
5	1	8	9	3	2	6	7	4
9	4	7	5	6	8	2	1	3
6	5	1	3	2	9	4	8	7
2	8	3	4	1	7	9	5	6

No 338

9	8	2	5	7	6	1	4	3
5	4	7	1	9	3	8	2	6
6	1	3	8	2	4	7	9	5
8	6	4	7	3	1	2	5	9
3	9	1	2	8	5	6	7	4
7	2	5	4	6	9	3	1	8
2	7	9	3	5	8	4	6	1
1	5	8	6	4	2	9	3	7
4	3	6	9	1	7	5	8	2

No 339

2	3	1	4	8	5	9	7	6
8	9	5	6	2	7	4	3	1
4	6	7	9	1	3	5	2	8
1	4	3	7	9	8	6	5	2
9	8	6	2	5	1	3	4	7
7	5	2	3	4	6	1	8	9
3	7	4	8	6	9	2	1	5
5	2	9	1	7	4	8	6	3
6	1	8	5	3	2	7	9	4

No 340

6	5	7	9	4	3	1	8	2
1	8	9	2	5	6	3	7	4
3	4	2	8	7	1	9	6	5
5	3	6	4	9	8	7	2	1
7	1	8	3	2	5	6	4	9
9	2	4	1	6	7	5	3	8
2	9	5	6	3	4	8	1	7
4	6	1	7	8	9	2	5	3
8	7	3	5	1	2	4	9	6

No 341

8	3	6	2	7	9	5	4	1
2	4	1	6	5	3	7	8	9
9	5	7	8	1	4	2	6	3
6	9	5	3	8	7	1	2	4
4	2	3	5	9	1	8	7	6
1	7	8	4	2	6	3	9	5
5	1	9	7	6	8	4	3	2
7	6	4	1	3	2	9	5	8
3	8	2	9	4	5	6	1	7

No 342

7	1	9	8	4	6	5	2	3
2	8	5	3	1	7	4	6	9
3	4	6	5	9	2	1	7	8
4	5	7	2	6	9	8	3	1
6	3	1	7	8	4	2	9	5
9	2	8	1	3	5	7	4	6
5	9	2	6	7	1	3	8	4
1	6	3	4	2	8	9	5	7
8	7	4	9	5	3	6	1	2

Solutions

No 343

7	4	6	8	3	5	9	2	1
9	5	2	1	6	7	4	3	8
3	1	8	4	9	2	5	7	6
2	8	9	6	4	3	7	1	5
1	7	3	2	5	9	8	6	4
5	6	4	7	1	8	2	9	3
8	9	5	3	7	1	6	4	2
6	2	1	9	8	4	3	5	7
4	3	7	5	2	6	1	8	9

No 344

6	8	1	7	4	5	2	9	3
4	9	5	2	3	1	8	7	6
3	2	7	8	6	9	5	1	4
7	1	2	4	5	3	9	6	8
8	4	3	9	7	6	1	2	5
9	5	6	1	2	8	4	3	7
1	7	4	6	8	2	3	5	9
5	6	9	3	1	4	7	8	2
2	3	8	5	9	7	6	4	1

No 345

6	5	8	9	4	2	3	7	1
7	1	2	6	3	8	4	9	5
3	9	4	7	5	1	2	6	8
5	4	1	2	7	9	6	8	3
9	2	6	1	8	3	7	5	4
8	7	3	4	6	5	9	1	2
1	6	7	5	2	4	8	3	9
2	3	9	8	1	7	5	4	6
4	8	5	3	9	6	1	2	7

No 346

6	8	9	1	3	2	4	5	7
3	4	7	9	5	6	8	2	1
5	2	1	7	4	8	3	9	6
4	6	2	8	1	9	7	3	5
1	7	3	6	2	5	9	4	8
9	5	8	3	7	4	1	6	2
8	3	5	4	6	7	2	1	9
2	9	4	5	8	1	6	7	3
7	1	6	2	9	3	5	8	4

No 347

8	9	4	1	6	7	2	3	5
7	3	6	2	4	5	1	8	9
5	2	1	8	9	3	4	7	6
9	1	2	5	7	6	8	4	3
4	5	3	9	8	1	6	2	7
6	7	8	4	3	2	5	9	1
3	4	7	6	1	8	9	5	2
1	8	5	7	2	9	3	6	4
2	6	9	3	5	4	7	1	8

No 348

1	7	9	4	8	3	6	5	2
4	5	3	9	2	6	1	8	7
6	8	2	1	7	5	9	3	4
2	3	5	7	1	4	8	6	9
8	9	4	5	6	2	3	7	1
7	6	1	3	9	8	2	4	5
3	2	7	8	4	9	5	1	6
9	1	8	6	5	7	4	2	3
5	4	6	2	3	1	7	9	8

Solutions

No 349

5	7	4	3	9	6	8	1	2
9	1	2	4	7	8	5	3	6
6	8	3	2	5	1	7	9	4
3	9	8	5	4	7	2	6	1
2	4	5	6	1	9	3	7	8
7	6	1	8	2	3	4	5	9
4	2	6	1	3	5	9	8	7
8	5	9	7	6	4	1	2	3
1	3	7	9	8	2	6	4	5

No 350

1	3	2	5	9	7	4	6	8
8	9	7	6	4	3	5	2	1
5	6	4	2	1	8	7	3	9
3	8	5	4	7	1	2	9	6
9	7	6	3	8	2	1	5	4
4	2	1	9	6	5	3	8	7
7	1	3	8	2	9	6	4	5
2	4	8	1	5	6	9	7	3
6	5	9	7	3	4	8	1	2

No 351

8	9	5	1	7	3	2	6	4
4	2	1	8	6	9	3	5	7
6	3	7	2	5	4	9	8	1
7	1	2	6	8	5	4	9	3
9	5	8	3	4	1	6	7	2
3	6	4	7	9	2	8	1	5
5	7	6	4	3	8	1	2	9
2	4	9	5	1	6	7	3	8
1	8	3	9	2	7	5	4	6

No 352

2	6	4	1	8	7	3	9	5
8	9	7	3	5	4	6	2	1
3	1	5	2	6	9	8	7	4
5	3	8	7	4	2	1	6	9
6	2	9	8	1	3	4	5	7
7	4	1	6	9	5	2	8	3
9	5	2	4	3	8	7	1	6
1	8	3	9	7	6	5	4	2
4	7	6	5	2	1	9	3	8

No 353

8	5	7	9	3	1	4	2	6
6	9	3	4	7	2	1	5	8
2	4	1	8	5	6	9	3	7
7	3	8	5	2	4	6	1	9
1	6	5	3	9	8	7	4	2
9	2	4	1	6	7	3	8	5
3	8	9	7	4	5	2	6	1
5	7	2	6	1	3	8	9	4
4	1	6	2	8	9	5	7	3

No 354

7	1	5	2	6	9	8	4	3
8	2	3	4	7	1	6	9	5
6	4	9	5	8	3	2	7	1
1	8	7	9	2	5	3	6	4
3	5	4	6	1	8	9	2	7
2	9	6	3	4	7	5	1	8
5	7	1	8	9	2	4	3	6
9	6	8	1	3	4	7	5	2
4	3	2	7	5	6	1	8	9

Solutions

No 355

8	4	9	1	2	5	7	3	6
5	6	7	3	8	4	9	2	1
1	2	3	6	7	9	8	4	5
9	3	5	2	4	7	1	6	8
4	1	8	5	9	6	2	7	3
6	7	2	8	1	3	4	5	9
7	5	4	9	6	8	3	1	2
3	8	1	4	5	2	6	9	7
2	9	6	7	3	1	5	8	4

No 356

3	2	7	6	9	5	4	1	8
6	9	1	4	3	8	5	2	7
8	4	5	1	7	2	9	6	3
1	5	2	7	6	3	8	4	9
9	3	6	5	8	4	2	7	1
4	7	8	2	1	9	6	3	5
2	8	4	3	5	1	7	9	6
7	1	9	8	2	6	3	5	4
5	6	3	9	4	7	1	8	2

No 357

9	8	6	4	2	5	7	1	3
1	4	3	6	7	9	5	8	2
5	7	2	8	3	1	6	9	4
8	3	4	9	5	7	1	2	6
7	6	9	1	4	2	3	5	8
2	5	1	3	8	6	4	7	9
6	1	7	2	9	4	8	3	5
4	2	8	5	1	3	9	6	7
3	9	5	7	6	8	2	4	1

No 358

7	4	9	6	3	2	8	1	5
8	6	1	4	9	5	7	3	2
5	3	2	1	8	7	6	4	9
4	9	8	7	2	6	1	5	3
2	7	5	3	1	4	9	8	6
3	1	6	9	5	8	4	2	7
9	8	3	5	7	1	2	6	4
6	2	7	8	4	3	5	9	1
1	5	4	2	6	9	3	7	8

No 359

9	5	1	8	3	4	7	6	2
6	4	7	2	5	9	1	8	3
3	8	2	6	7	1	5	4	9
2	1	4	3	9	7	8	5	6
8	9	5	4	1	6	3	2	7
7	6	3	5	8	2	9	1	4
4	7	9	1	6	5	2	3	8
5	2	8	9	4	3	6	7	1
1	3	6	7	2	8	4	9	5

No 360

8	2	6	7	4	3	5	1	9
1	7	3	5	9	6	4	2	8
5	4	9	8	1	2	6	3	7
3	5	4	1	7	9	8	6	2
7	6	2	4	3	8	9	5	1
9	8	1	2	6	5	7	4	3
6	1	5	9	2	7	3	8	4
2	3	7	6	8	4	1	9	5
4	9	8	3	5	1	2	7	6

Solutions

No 361

3	9	6	5	8	1	2	4	7
2	7	1	4	3	9	8	5	6
5	8	4	6	7	2	9	3	1
6	1	3	9	4	5	7	8	2
8	4	9	2	1	7	3	6	5
7	2	5	3	6	8	4	1	9
1	5	7	8	9	4	6	2	3
4	3	2	7	5	6	1	9	8
9	6	8	1	2	3	5	7	4

No 362

9	6	4	5	2	3	7	1	8
8	3	2	1	4	7	6	9	5
1	5	7	6	9	8	4	3	2
6	4	8	3	5	9	1	2	7
3	2	5	8	7	1	9	4	6
7	1	9	2	6	4	5	8	3
5	7	3	9	1	2	8	6	4
4	8	1	7	3	6	2	5	9
2	9	6	4	8	5	3	7	1

No 363

1	4	8	3	9	2	5	6	7
2	9	7	8	6	5	4	3	1
5	3	6	4	1	7	9	8	2
3	1	5	7	4	8	6	2	9
6	7	9	2	5	1	3	4	8
4	8	2	6	3	9	7	1	5
8	6	1	9	7	4	2	5	3
7	2	4	5	8	3	1	9	6
9	5	3	1	2	6	8	7	4

No 364

8	7	2	1	4	3	5	9	6
1	4	5	9	8	6	3	2	7
6	3	9	2	7	5	8	1	4
3	9	8	6	5	7	1	4	2
7	5	1	4	3	2	6	8	9
2	6	4	8	1	9	7	5	3
5	1	7	3	9	4	2	6	8
9	8	6	7	2	1	4	3	5
4	2	3	5	6	8	9	7	1

No 365

7	1	9	4	2	6	8	3	5
4	5	8	1	9	3	2	6	7
3	6	2	5	8	7	9	4	1
9	2	4	3	1	5	7	8	6
1	3	6	7	4	8	5	9	2
8	7	5	2	6	9	4	1	3
6	9	7	8	5	1	3	2	4
5	4	1	9	3	2	6	7	8
2	8	3	6	7	4	1	5	9

No 366

9	7	4	6	5	8	2	1	3
8	2	3	1	4	7	9	6	5
1	5	6	9	2	3	8	4	7
6	3	2	4	9	5	7	8	1
7	1	5	3	8	2	6	9	4
4	8	9	7	1	6	3	5	2
2	6	8	5	7	1	4	3	9
3	4	1	2	6	9	5	7	8
5	9	7	8	3	4	1	2	6

Solutions

No 367

5	6	3	9	8	2	1	4	7
1	7	8	5	4	6	2	3	9
4	9	2	3	1	7	8	6	5
2	1	4	6	5	9	7	8	3
7	3	9	4	2	8	5	1	6
8	5	6	1	7	3	4	9	2
6	4	7	8	9	5	3	2	1
3	2	1	7	6	4	9	5	8
9	8	5	2	3	1	6	7	4

No 368

5	9	7	1	3	4	8	2	6
8	2	6	7	9	5	4	3	1
4	3	1	6	2	8	5	9	7
1	5	9	3	4	6	7	8	2
7	8	2	9	5	1	6	4	3
6	4	3	2	8	7	1	5	9
3	1	5	4	6	2	9	7	8
9	7	8	5	1	3	2	6	4
2	6	4	8	7	9	3	1	5

No 369

3	9	7	4	5	2	8	6	1
8	5	4	1	6	3	2	7	9
1	6	2	7	8	9	5	4	3
4	2	3	6	9	7	1	5	8
9	7	8	5	4	1	6	3	2
6	1	5	2	3	8	7	9	4
7	4	1	3	2	5	9	8	6
2	3	9	8	7	6	4	1	5
5	8	6	9	1	4	3	2	7

No 370

3	7	4	8	9	1	6	5	2
5	8	2	3	4	6	7	9	1
1	9	6	2	5	7	8	4	3
9	4	8	1	3	5	2	6	7
2	3	5	7	6	9	1	8	4
7	6	1	4	8	2	9	3	5
8	1	9	5	7	3	4	2	6
4	5	7	6	2	8	3	1	9
6	2	3	9	1	4	5	7	8

No 371

6	1	2	8	9	5	3	7	4
3	5	8	7	1	4	6	2	9
4	9	7	2	6	3	1	5	8
5	6	4	3	7	8	2	9	1
2	7	1	5	4	9	8	3	6
9	8	3	1	2	6	7	4	5
1	3	9	6	5	2	4	8	7
7	2	5	4	8	1	9	6	3
8	4	6	9	3	7	5	1	2

No 372

6	2	5	7	3	8	1	9	4
8	9	7	4	2	1	6	5	3
1	4	3	5	6	9	8	7	2
5	1	2	8	9	6	4	3	7
7	8	9	3	1	4	5	2	6
4	3	6	2	7	5	9	1	8
3	5	8	1	4	7	2	6	9
2	6	1	9	8	3	7	4	5
9	7	4	6	5	2	3	8	1

Solutions

No 373

5	6	8	9	4	1	3	2	7
7	1	9	3	2	8	4	6	5
4	3	2	5	6	7	1	8	9
1	9	6	8	3	2	7	5	4
2	5	3	6	7	4	8	9	1
8	4	7	1	9	5	6	3	2
6	2	4	7	5	3	9	1	8
3	8	5	4	1	9	2	7	6
9	7	1	2	8	6	5	4	3

No 374

3	8	2	7	9	4	5	1	6
1	6	5	3	2	8	9	7	4
7	4	9	1	5	6	2	3	8
9	1	4	5	6	3	8	2	7
2	7	8	9	4	1	6	5	3
5	3	6	2	8	7	4	9	1
6	2	3	8	7	9	1	4	5
4	5	1	6	3	2	7	8	9
8	9	7	4	1	5	3	6	2

No 375

4	1	2	5	6	8	3	9	7
8	3	5	9	7	1	4	2	6
9	6	7	4	3	2	5	1	8
7	9	6	3	8	4	1	5	2
3	5	1	6	2	7	8	4	9
2	8	4	1	5	9	6	7	3
1	4	3	7	9	6	2	8	5
6	7	8	2	4	5	9	3	1
5	2	9	8	1	3	7	6	4

No 376

7	2	6	4	8	5	1	9	3
5	3	4	1	9	6	2	7	8
9	1	8	2	3	7	6	5	4
4	9	3	8	2	1	5	6	7
2	6	7	3	5	4	8	1	9
1	8	5	7	6	9	3	4	2
6	4	2	9	1	8	7	3	5
3	7	1	5	4	2	9	8	6
8	5	9	6	7	3	4	2	1

No 377

8	9	3	7	1	4	6	5	2
2	4	7	5	9	6	3	1	8
1	6	5	3	8	2	9	7	4
3	2	6	8	7	9	5	4	1
5	8	9	6	4	1	2	3	7
7	1	4	2	5	3	8	9	6
6	5	2	1	3	7	4	8	9
4	3	1	9	2	8	7	6	5
9	7	8	4	6	5	1	2	3

No 378

2	4	3	9	1	7	6	5	8
6	9	1	2	8	5	4	7	3
8	7	5	6	3	4	1	2	9
9	1	6	3	2	8	5	4	7
4	8	2	5	7	6	3	9	1
5	3	7	4	9	1	8	6	2
1	5	9	8	6	2	7	3	4
7	2	4	1	5	3	9	8	6
3	6	8	7	4	9	2	1	5

Solutions

No 379

2	9	5	1	4	3	7	8	6
4	6	8	5	7	9	3	1	2
7	1	3	2	8	6	9	4	5
6	8	4	9	1	7	2	5	3
3	7	2	8	5	4	1	6	9
1	5	9	6	3	2	4	7	8
8	4	1	3	9	5	6	2	7
9	2	7	4	6	8	5	3	1
5	3	6	7	2	1	8	9	4

No 380

1	7	9	3	4	2	6	8	5
3	2	4	8	6	5	7	9	1
8	5	6	9	7	1	2	4	3
7	9	1	2	3	4	8	5	6
2	4	3	5	8	6	9	1	7
5	6	8	1	9	7	4	3	2
9	1	7	4	2	3	5	6	8
4	3	2	6	5	8	1	7	9
6	8	5	7	1	9	3	2	4

No 381

8	6	4	9	1	2	5	7	3
5	1	3	6	8	7	4	2	9
2	7	9	3	5	4	1	6	8
6	8	5	4	7	1	9	3	2
9	2	1	5	3	6	8	4	7
4	3	7	8	2	9	6	1	5
1	5	8	2	6	3	7	9	4
7	4	2	1	9	8	3	5	6
3	9	6	7	4	5	2	8	1

No 382

3	8	1	6	4	9	7	5	2
2	4	9	1	5	7	8	6	3
5	7	6	2	8	3	1	9	4
6	3	4	9	7	1	2	8	5
7	5	2	3	6	8	4	1	9
1	9	8	5	2	4	3	7	6
9	6	7	4	1	2	5	3	8
4	1	3	8	9	5	6	2	7
8	2	5	7	3	6	9	4	1

No 383

9	8	5	2	1	7	3	4	6
7	1	3	4	6	5	8	2	9
4	2	6	9	3	8	5	7	1
1	5	8	6	4	9	7	3	2
3	9	2	5	7	1	6	8	4
6	4	7	8	2	3	9	1	5
5	7	9	1	8	4	2	6	3
8	6	1	3	9	2	4	5	7
2	3	4	7	5	6	1	9	8

No 384

5	3	9	1	4	7	8	2	6
1	7	2	6	8	9	3	4	5
6	4	8	3	2	5	7	1	9
3	6	1	2	5	8	9	7	4
8	5	7	9	1	4	2	6	3
2	9	4	7	3	6	1	5	8
4	2	6	8	7	3	5	9	1
9	1	3	5	6	2	4	8	7
7	8	5	4	9	1	6	3	2

Solutions

No 385

8	4	9	6	7	3	2	5	1
3	6	1	5	2	8	4	7	9
7	5	2	4	9	1	3	6	8
4	9	6	3	5	7	8	1	2
2	3	5	1	8	6	7	9	4
1	7	8	2	4	9	6	3	5
9	8	4	7	3	5	1	2	6
5	1	3	8	6	2	9	4	7
6	2	7	9	1	4	5	8	3

No 386

7	1	5	3	9	6	8	2	4
9	2	8	5	4	7	1	3	6
4	3	6	1	8	2	9	7	5
3	8	7	2	6	5	4	9	1
2	6	9	4	7	1	5	8	3
5	4	1	8	3	9	7	6	2
8	5	4	9	2	3	6	1	7
6	9	2	7	1	4	3	5	8
1	7	3	6	5	8	2	4	9

No 387

7	1	5	6	3	2	8	4	9
8	4	6	7	9	1	3	2	5
9	2	3	4	5	8	7	6	1
2	8	1	3	4	5	6	9	7
4	3	7	9	1	6	5	8	2
6	5	9	2	8	7	1	3	4
5	9	2	8	7	3	4	1	6
3	7	4	1	6	9	2	5	8
1	6	8	5	2	4	9	7	3

No 388

7	6	8	3	9	4	2	5	1
3	9	5	2	1	8	6	4	7
1	4	2	6	7	5	8	3	9
5	8	6	7	4	3	9	1	2
4	3	1	9	2	6	5	7	8
2	7	9	5	8	1	3	6	4
9	5	4	8	6	7	1	2	3
8	1	3	4	5	2	7	9	6
6	2	7	1	3	9	4	8	5

No 389

9	6	2	5	8	3	4	1	7
8	4	7	1	2	9	3	6	5
5	3	1	6	7	4	9	8	2
1	8	3	7	6	5	2	9	4
7	9	6	4	1	2	8	5	3
4	2	5	3	9	8	6	7	1
6	7	9	2	3	1	5	4	8
2	1	4	8	5	6	7	3	9
3	5	8	9	4	7	1	2	6

No 390

4	9	3	1	7	5	2	6	8
5	8	1	2	6	3	9	4	7
6	2	7	9	8	4	3	5	1
2	7	5	4	3	6	8	1	9
9	3	4	8	5	1	7	2	6
1	6	8	7	9	2	5	3	4
3	1	9	6	2	7	4	8	5
8	4	2	5	1	9	6	7	3
7	5	6	3	4	8	1	9	2

Solutions

No 391

1	4	6	7	5	2	9	8	3
3	8	5	9	4	6	7	1	2
7	2	9	3	1	8	4	6	5
5	7	2	6	9	3	1	4	8
6	1	4	8	7	5	3	2	9
9	3	8	4	2	1	5	7	6
8	5	7	2	3	4	6	9	1
4	6	1	5	8	9	2	3	7
2	9	3	1	6	7	8	5	4

No 392

9	6	7	4	3	8	1	5	2
4	5	3	2	1	7	6	8	9
1	2	8	5	9	6	3	4	7
7	9	6	3	8	1	5	2	4
8	3	2	7	5	4	9	6	1
5	1	4	9	6	2	8	7	3
3	7	1	6	2	5	4	9	8
6	4	9	8	7	3	2	1	5
2	8	5	1	4	9	7	3	6

No 393

6	8	1	2	3	4	7	5	9
2	4	7	5	8	9	3	6	1
5	3	9	7	6	1	4	2	8
4	9	8	6	7	5	2	1	3
1	6	3	4	2	8	5	9	7
7	5	2	1	9	3	8	4	6
3	7	6	9	4	2	1	8	5
8	2	5	3	1	6	9	7	4
9	1	4	8	5	7	6	3	2

No 394

3	4	7	2	8	6	9	1	5
2	9	6	1	5	7	8	4	3
8	5	1	3	9	4	7	2	6
9	8	5	7	3	1	4	6	2
4	1	2	9	6	5	3	8	7
7	6	3	8	4	2	1	5	9
5	2	9	4	7	8	6	3	1
1	7	8	6	2	3	5	9	4
6	3	4	5	1	9	2	7	8

No 395

7	5	4	2	3	9	6	8	1
3	2	1	4	8	6	5	9	7
6	9	8	5	7	1	3	2	4
9	6	2	7	4	5	1	3	8
4	3	7	1	9	8	2	5	6
1	8	5	3	6	2	4	7	9
5	7	6	9	2	4	8	1	3
2	4	9	8	1	3	7	6	5
8	1	3	6	5	7	9	4	2

No 396

7	6	8	4	9	5	3	2	1
2	3	4	1	6	7	8	5	9
1	9	5	8	2	3	6	4	7
8	5	6	2	1	9	7	3	4
3	2	1	7	4	6	9	8	5
4	7	9	5	3	8	1	6	2
9	8	7	6	5	2	4	1	3
5	4	3	9	8	1	2	7	6
6	1	2	3	7	4	5	9	8

Solutions

No 397

5	8	3	4	6	9	7	2	1
9	4	2	7	5	1	3	8	6
6	1	7	2	8	3	9	5	4
7	9	8	3	1	4	5	6	2
3	5	1	6	9	2	8	4	7
4	2	6	8	7	5	1	9	3
8	6	4	5	3	7	2	1	9
2	7	9	1	4	8	6	3	5
1	3	5	9	2	6	4	7	8

No 398

6	1	3	2	9	4	5	7	8
7	4	2	8	3	5	1	6	9
8	5	9	7	6	1	2	3	4
2	8	6	4	5	7	9	1	3
1	3	5	9	8	2	7	4	6
9	7	4	6	1	3	8	5	2
3	9	7	1	2	6	4	8	5
5	2	1	3	4	8	6	9	7
4	6	8	5	7	9	3	2	1

No 399

4	9	6	1	7	3	8	5	2
2	5	1	8	4	6	9	7	3
3	8	7	2	5	9	1	4	6
5	7	9	4	3	2	6	1	8
6	3	4	5	1	8	2	9	7
8	1	2	6	9	7	5	3	4
1	6	3	7	2	5	4	8	9
9	2	5	3	8	4	7	6	1
7	4	8	9	6	1	3	2	5

No 400

8	7	3	4	9	6	2	5	1
6	1	2	7	8	5	4	3	9
5	9	4	3	2	1	7	8	6
4	8	9	5	1	3	6	7	2
1	6	5	2	7	4	8	9	3
2	3	7	9	6	8	1	4	5
7	4	6	1	3	9	5	2	8
9	2	8	6	5	7	3	1	4
3	5	1	8	4	2	9	6	7

No 401

1	2	8	7	9	3	5	4	6
6	5	4	1	2	8	7	9	3
9	3	7	4	6	5	8	1	2
2	8	1	9	3	7	4	6	5
3	7	9	6	5	4	1	2	8
5	4	6	2	8	1	9	3	7
7	9	3	5	4	6	2	8	1
8	1	2	3	7	9	6	5	4
4	6	5	8	1	2	3	7	9

No 402

7	9	4	6	5	2	3	1	8
6	5	1	8	3	4	7	9	2
2	8	3	1	7	9	4	5	6
4	1	2	5	9	3	6	8	7
9	6	7	2	4	8	5	3	1
8	3	5	7	6	1	9	2	4
1	7	6	9	2	5	8	4	3
3	2	9	4	8	7	1	6	5
5	4	8	3	1	6	2	7	9

Solutions

No 403

1	2	8	7	9	6	3	5	4
7	4	9	5	1	3	2	8	6
3	5	6	4	2	8	1	9	7
2	9	1	3	6	5	4	7	8
5	8	3	2	4	7	9	6	1
4	6	7	1	8	9	5	2	3
9	3	5	6	7	4	8	1	2
6	1	4	8	5	2	7	3	9
8	7	2	9	3	1	6	4	5

No 404

2	8	4	5	3	1	6	7	9
5	3	7	4	6	9	2	1	8
9	1	6	8	2	7	3	4	5
7	9	1	3	4	8	5	6	2
8	2	5	7	1	6	4	9	3
6	4	3	9	5	2	1	8	7
4	6	9	2	7	5	8	3	1
1	5	8	6	9	3	7	2	4
3	7	2	1	8	4	9	5	6

No 405

7	4	8	6	1	9	3	2	5
6	3	5	8	2	7	1	4	9
1	2	9	5	3	4	8	7	6
4	7	1	3	5	8	6	9	2
8	6	2	4	9	1	5	3	7
5	9	3	7	6	2	4	8	1
3	1	7	2	8	6	9	5	4
9	8	4	1	7	5	2	6	3
2	5	6	9	4	3	7	1	8

No 406

8	3	1	7	9	5	4	2	6
2	9	7	1	6	4	8	5	3
5	4	6	2	8	3	9	1	7
3	8	9	4	1	7	5	6	2
7	6	2	3	5	8	1	4	9
4	1	5	6	2	9	3	7	8
6	2	3	9	4	1	7	8	5
9	5	4	8	7	2	6	3	1
1	7	8	5	3	6	2	9	4

No 407

5	3	7	8	6	4	2	1	9
2	6	1	9	7	3	4	8	5
4	8	9	5	1	2	3	7	6
7	2	8	4	3	6	5	9	1
3	1	5	2	9	7	6	4	8
6	9	4	1	5	8	7	2	3
1	5	3	7	4	9	8	6	2
9	7	2	6	8	5	1	3	4
8	4	6	3	2	1	9	5	7

No 408

7	8	9	4	5	6	1	2	3
4	2	1	3	9	8	6	5	7
3	6	5	2	7	1	4	8	9
8	7	4	5	1	9	3	6	2
2	5	6	8	3	7	9	1	4
1	9	3	6	4	2	8	7	5
6	3	8	7	2	4	5	9	1
5	1	7	9	8	3	2	4	6
9	4	2	1	6	5	7	3	8

Solutions

No 409

2	1	6	3	7	4	5	9	8
8	4	5	6	9	1	2	3	7
3	7	9	8	2	5	1	4	6
1	9	3	2	6	7	4	8	5
6	5	4	9	1	8	3	7	2
7	2	8	5	4	3	9	6	1
4	3	2	7	5	6	8	1	9
9	8	7	1	3	2	6	5	4
5	6	1	4	8	9	7	2	3

No 410

9	2	1	4	3	6	7	8	5
3	8	6	7	5	9	4	2	1
4	7	5	1	8	2	6	3	9
6	4	9	3	7	8	1	5	2
7	5	8	9	2	1	3	4	6
2	1	3	6	4	5	8	9	7
5	3	4	2	6	7	9	1	8
8	9	7	5	1	3	2	6	4
1	6	2	8	9	4	5	7	3

No 411

2	7	6	1	4	3	5	8	9
9	5	1	8	6	2	4	7	3
4	3	8	5	9	7	6	2	1
1	9	5	4	8	6	7	3	2
8	6	3	2	7	1	9	5	4
7	4	2	3	5	9	8	1	6
6	1	4	7	3	5	2	9	8
3	8	7	9	2	4	1	6	5
5	2	9	6	1	8	3	4	7

No 412

1	3	7	2	5	9	4	8	6
9	5	6	4	7	8	2	3	1
8	4	2	1	6	3	9	7	5
5	6	9	8	1	7	3	2	4
7	2	3	5	4	6	8	1	9
4	8	1	9	3	2	5	6	7
3	9	4	7	2	1	6	5	8
2	7	8	6	9	5	1	4	3
6	1	5	3	8	4	7	9	2

No 413

5	6	9	7	1	3	4	8	2
4	3	2	6	5	8	1	7	9
8	1	7	2	4	9	5	3	6
2	5	3	9	8	6	7	4	1
6	8	1	4	7	5	2	9	3
9	7	4	1	3	2	8	6	5
3	2	5	8	6	4	9	1	7
7	4	6	5	9	1	3	2	8
1	9	8	3	2	7	6	5	4

No 414

7	8	1	5	3	6	2	9	4
6	9	5	4	2	8	3	7	1
3	4	2	1	9	7	5	6	8
9	1	7	3	8	4	6	2	5
5	2	4	7	6	1	9	8	3
8	3	6	9	5	2	4	1	7
1	7	9	6	4	3	8	5	2
2	6	3	8	1	5	7	4	9
4	5	8	2	7	9	1	3	6

Solutions

No 415

3	7	4	8	5	9	2	6	1
9	1	5	6	2	3	8	7	4
6	8	2	1	7	4	9	5	3
2	6	8	5	1	7	4	3	9
7	9	1	4	3	8	5	2	6
5	4	3	9	6	2	7	1	8
1	3	9	2	4	5	6	8	7
8	5	7	3	9	6	1	4	2
4	2	6	7	8	1	3	9	5

No 416

7	1	3	8	4	6	9	5	2
6	2	4	9	5	1	3	7	8
5	8	9	7	3	2	6	4	1
2	7	8	5	9	3	4	1	6
9	3	6	1	8	4	5	2	7
1	4	5	2	6	7	8	9	3
8	5	1	3	2	9	7	6	4
3	6	7	4	1	5	2	8	9
4	9	2	6	7	8	1	3	5

No 417

3	1	4	5	7	2	8	6	9
7	5	6	8	3	9	1	2	4
9	2	8	4	6	1	7	3	5
1	8	2	6	9	4	3	5	7
5	4	9	3	1	7	2	8	6
6	7	3	2	8	5	4	9	1
8	9	1	7	5	3	6	4	2
4	3	7	9	2	6	5	1	8
2	6	5	1	4	8	9	7	3

No 418

9	7	5	8	4	2	6	3	1
6	3	4	1	7	5	8	9	2
1	2	8	3	6	9	4	5	7
8	6	2	7	9	3	1	4	5
5	4	7	2	8	1	9	6	3
3	1	9	4	5	6	7	2	8
2	8	3	9	1	4	5	7	6
4	5	1	6	2	7	3	8	9
7	9	6	5	3	8	2	1	4

No 419

3	6	2	9	4	1	7	8	5
5	4	1	8	3	7	9	2	6
7	8	9	2	6	5	4	1	3
8	5	4	7	9	3	2	6	1
6	2	7	5	1	4	8	3	9
1	9	3	6	2	8	5	4	7
2	1	5	3	8	9	6	7	4
9	3	6	4	7	2	1	5	8
4	7	8	1	5	6	3	9	2

No 420

5	4	2	3	7	8	1	6	9
3	1	7	9	6	5	4	2	8
6	9	8	4	2	1	3	7	5
9	2	1	6	5	4	7	8	3
8	6	3	2	9	7	5	4	1
7	5	4	1	8	3	6	9	2
4	7	5	8	3	2	9	1	6
1	8	6	5	4	9	2	3	7
2	3	9	7	1	6	8	5	4

Solutions

No 421

1	7	3	9	4	6	8	2	5
8	9	2	5	3	1	4	6	7
5	4	6	8	2	7	9	1	3
3	5	7	1	9	8	2	4	6
4	8	9	6	7	2	5	3	1
2	6	1	4	5	3	7	8	9
6	2	5	7	1	4	3	9	8
7	3	8	2	6	9	1	5	4
9	1	4	3	8	5	6	7	2

No 422

8	3	6	7	2	9	4	1	5
2	1	4	8	6	5	3	7	9
7	5	9	1	4	3	2	6	8
4	6	5	9	3	8	7	2	1
3	8	7	6	1	2	5	9	4
1	9	2	4	5	7	6	8	3
5	7	3	2	8	1	9	4	6
6	2	1	5	9	4	8	3	7
9	4	8	3	7	6	1	5	2

No 423

9	1	3	6	7	8	4	5	2
5	6	4	9	3	2	8	7	1
7	2	8	1	4	5	9	3	6
1	5	2	4	8	7	3	6	9
8	4	9	3	2	6	7	1	5
6	3	7	5	9	1	2	8	4
2	7	6	8	1	4	5	9	3
3	8	1	2	5	9	6	4	7
4	9	5	7	6	3	1	2	8

No 424

6	8	3	9	1	7	2	5	4
4	7	2	5	8	3	1	9	6
1	5	9	4	2	6	8	7	3
8	4	1	7	9	5	3	6	2
3	9	6	1	4	2	7	8	5
5	2	7	6	3	8	9	4	1
7	3	8	2	5	4	6	1	9
9	6	4	3	7	1	5	2	8
2	1	5	8	6	9	4	3	7

No 425

6	9	3	2	1	5	8	7	4
7	5	8	4	9	6	3	2	1
1	2	4	3	8	7	5	6	9
4	1	9	7	3	2	6	8	5
5	8	7	9	6	4	1	3	2
2	3	6	1	5	8	4	9	7
3	4	5	8	2	9	7	1	6
8	7	2	6	4	1	9	5	3
9	6	1	5	7	3	2	4	8

No 426

8	5	2	1	3	7	6	9	4
7	1	4	5	9	6	8	3	2
3	9	6	2	4	8	7	5	1
1	3	8	4	7	9	2	6	5
6	7	5	3	1	2	4	8	9
4	2	9	6	8	5	1	7	3
2	8	7	9	5	4	3	1	6
9	4	1	7	6	3	5	2	8
5	6	3	8	2	1	9	4	7

Solutions

No 427

8	9	1	2	3	4	6	5	7
7	5	4	6	1	8	2	9	3
2	3	6	5	7	9	4	8	1
3	1	5	4	2	6	9	7	8
9	8	2	3	5	7	1	6	4
4	6	7	9	8	1	5	3	2
1	4	8	7	6	5	3	2	9
5	2	9	8	4	3	7	1	6
6	7	3	1	9	2	8	4	5

No 428

5	8	9	3	4	7	1	2	6
3	1	6	8	9	2	5	7	4
2	4	7	6	1	5	3	9	8
9	3	5	7	2	8	6	4	1
8	2	4	1	3	6	7	5	9
7	6	1	4	5	9	8	3	2
1	7	3	2	8	4	9	6	5
6	9	2	5	7	1	4	8	3
4	5	8	9	6	3	2	1	7

No 429

6	5	9	1	8	4	7	3	2
7	2	1	6	3	5	9	8	4
3	8	4	7	9	2	6	5	1
1	6	3	8	5	9	2	4	7
5	4	8	2	6	7	1	9	3
9	7	2	4	1	3	8	6	5
2	9	7	3	4	6	5	1	8
4	1	5	9	7	8	3	2	6
8	3	6	5	2	1	4	7	9

No 430

7	8	2	1	4	9	6	5	3
9	6	5	3	8	7	1	2	4
1	4	3	6	5	2	8	7	9
4	3	9	7	2	1	5	8	6
5	2	7	8	3	6	4	9	1
8	1	6	4	9	5	7	3	2
2	5	1	9	7	4	3	6	8
6	9	8	5	1	3	2	4	7
3	7	4	2	6	8	9	1	5

No 431

4	3	7	9	5	6	2	1	8
8	1	5	3	2	7	9	6	4
9	2	6	4	8	1	3	7	5
3	8	2	1	7	4	5	9	6
6	4	1	5	9	3	8	2	7
5	7	9	2	6	8	4	3	1
2	9	8	6	1	5	7	4	3
7	6	3	8	4	2	1	5	9
1	5	4	7	3	9	6	8	2

No 432

1	2	3	5	9	8	7	4	6
7	9	4	1	2	6	3	8	5
8	5	6	3	7	4	2	1	9
2	6	9	8	4	5	1	7	3
4	1	5	7	3	9	6	2	8
3	7	8	6	1	2	9	5	4
6	8	7	2	5	3	4	9	1
5	4	1	9	6	7	8	3	2
9	3	2	4	8	1	5	6	7

Solutions

No 433

7	9	8	2	4	1	5	3	6
5	2	4	3	9	6	7	8	1
1	3	6	8	7	5	4	2	9
2	6	3	4	8	7	1	9	5
8	7	9	5	1	3	2	6	4
4	5	1	6	2	9	3	7	8
3	4	5	9	6	2	8	1	7
6	1	2	7	5	8	9	4	3
9	8	7	1	3	4	6	5	2

No 434

6	2	8	7	5	9	3	1	4
5	4	7	3	2	1	9	6	8
1	3	9	8	4	6	2	5	7
9	6	1	2	8	7	4	3	5
7	5	2	4	1	3	6	8	9
3	8	4	6	9	5	1	7	2
4	1	6	5	7	2	8	9	3
8	7	3	9	6	4	5	2	1
2	9	5	1	3	8	7	4	6

No 435

5	6	7	8	9	1	4	2	3
1	2	8	3	5	4	6	9	7
4	3	9	2	7	6	8	5	1
9	7	5	6	1	2	3	8	4
8	4	6	7	3	9	5	1	2
2	1	3	4	8	5	7	6	9
6	5	2	1	4	3	9	7	8
3	8	1	9	6	7	2	4	5
7	9	4	5	2	8	1	3	6

No 436

2	8	1	3	5	7	4	6	9
3	6	7	1	9	4	8	2	5
4	9	5	2	8	6	3	1	7
7	5	2	9	4	1	6	3	8
9	1	3	5	6	8	2	7	4
8	4	6	7	2	3	9	5	1
5	2	4	6	7	9	1	8	3
6	3	9	8	1	5	7	4	2
1	7	8	4	3	2	5	9	6

No 437

2	4	9	3	5	7	1	8	6
6	1	7	2	4	8	3	5	9
3	8	5	9	6	1	4	7	2
1	7	2	4	8	5	9	6	3
5	9	4	6	3	2	8	1	7
8	6	3	7	1	9	5	2	4
7	5	6	1	9	4	2	3	8
4	3	8	5	2	6	7	9	1
9	2	1	8	7	3	6	4	5

No 438

2	6	8	9	5	1	7	4	3
5	7	9	8	4	3	6	2	1
3	1	4	7	6	2	8	9	5
8	2	5	1	9	7	3	6	4
6	4	1	3	2	5	9	8	7
9	3	7	6	8	4	5	1	2
1	9	3	2	7	8	4	5	6
4	8	2	5	3	6	1	7	9
7	5	6	4	1	9	2	3	8

Solutions

No 439

6	4	9	5	3	7	1	8	2
2	8	3	1	4	9	7	5	6
7	1	5	6	8	2	4	9	3
4	9	8	2	7	5	6	3	1
5	7	1	3	6	8	9	2	4
3	2	6	4	9	1	8	7	5
1	5	7	9	2	6	3	4	8
8	6	4	7	5	3	2	1	9
9	3	2	8	1	4	5	6	7

No 440

2	6	8	5	4	7	1	3	9
4	9	7	3	8	1	5	2	6
3	1	5	9	6	2	7	8	4
1	4	3	6	2	9	8	5	7
7	2	6	8	5	4	3	9	1
8	5	9	7	1	3	6	4	2
9	7	2	1	3	8	4	6	5
5	3	1	4	9	6	2	7	8
6	8	4	2	7	5	9	1	3

No 441

2	4	5	9	8	6	1	7	3
7	3	6	1	5	4	9	2	8
9	8	1	2	7	3	4	6	5
8	7	3	4	2	9	5	1	6
1	5	4	3	6	8	7	9	2
6	9	2	7	1	5	8	3	4
3	6	8	5	9	1	2	4	7
4	1	7	8	3	2	6	5	9
5	2	9	6	4	7	3	8	1

No 442

5	8	2	6	3	7	9	4	1
3	1	9	8	2	4	7	5	6
7	6	4	9	5	1	3	2	8
6	9	8	5	7	3	2	1	4
2	3	1	4	9	8	6	7	5
4	7	5	1	6	2	8	9	3
1	4	6	7	8	9	5	3	2
9	5	3	2	1	6	4	8	7
8	2	7	3	4	5	1	6	9

No 443

2	9	4	7	8	3	5	6	1
7	8	3	5	6	1	2	9	4
5	6	1	2	9	4	7	8	3
6	1	7	9	4	5	8	3	2
8	3	2	6	1	7	9	4	5
9	4	5	8	3	2	6	1	7
4	5	6	3	2	9	1	7	8
3	2	9	1	7	8	4	5	6
1	7	8	4	5	6	3	2	9

No 444

9	8	2	3	4	6	7	5	1
1	6	5	9	2	7	4	8	3
7	3	4	8	1	5	6	9	2
3	9	8	4	6	2	5	1	7
2	5	1	7	8	3	9	4	6
4	7	6	1	5	9	3	2	8
6	1	3	5	9	8	2	7	4
8	2	9	6	7	4	1	3	5
5	4	7	2	3	1	8	6	9

Solutions

No 445

9	1	7	8	3	4	6	5	2
8	4	2	5	6	9	1	3	7
5	6	3	7	2	1	4	8	9
1	9	4	2	8	5	7	6	3
2	5	6	3	1	7	8	9	4
3	7	8	4	9	6	5	2	1
7	8	5	9	4	3	2	1	6
6	2	9	1	7	8	3	4	5
4	3	1	6	5	2	9	7	8

No 446

3	1	6	4	7	2	9	5	8
2	4	7	8	9	5	6	3	1
5	8	9	1	6	3	7	2	4
1	7	2	9	5	4	3	8	6
8	6	3	7	2	1	5	4	9
4	9	5	6	3	8	2	1	7
6	2	1	5	4	7	8	9	3
7	5	4	3	8	9	1	6	2
9	3	8	2	1	6	4	7	5

No 447

4	3	8	5	7	2	6	9	1
1	9	5	6	3	4	8	2	7
6	2	7	9	8	1	5	4	3
2	8	3	4	6	9	1	7	5
7	1	6	2	5	8	9	3	4
5	4	9	3	1	7	2	8	6
3	7	1	8	9	6	4	5	2
8	5	2	1	4	3	7	6	9
9	6	4	7	2	5	3	1	8

No 448

1	9	2	4	5	7	8	6	3
5	6	7	1	8	3	9	2	4
8	3	4	6	9	2	5	1	7
4	2	5	7	6	9	1	3	8
3	1	9	8	2	5	7	4	6
7	8	6	3	1	4	2	5	9
9	4	1	2	7	6	3	8	5
2	5	3	9	4	8	6	7	1
6	7	8	5	3	1	4	9	2

No 449

9	5	2	8	7	4	6	1	3
4	7	3	1	6	2	9	5	8
1	6	8	3	9	5	4	7	2
8	2	4	7	5	9	3	6	1
5	1	7	6	2	3	8	9	4
3	9	6	4	1	8	5	2	7
7	4	1	9	3	6	2	8	5
6	8	5	2	4	1	7	3	9
2	3	9	5	8	7	1	4	6

No 450

3	7	5	4	6	8	1	9	2
9	1	8	3	7	2	4	6	5
2	6	4	9	5	1	8	3	7
8	2	3	6	1	9	5	7	4
5	9	1	7	3	4	2	8	6
7	4	6	2	8	5	3	1	9
4	3	9	8	2	7	6	5	1
6	5	7	1	4	3	9	2	8
1	8	2	5	9	6	7	4	3

Solutions

No 451

8	3	2	9	4	1	7	6	5
4	5	6	8	7	3	1	2	9
7	9	1	2	6	5	8	4	3
2	8	4	6	3	9	5	1	7
6	7	9	5	1	2	3	8	4
3	1	5	7	8	4	6	9	2
1	4	7	3	9	6	2	5	8
5	6	8	4	2	7	9	3	1
9	2	3	1	5	8	4	7	6

No 452

5	1	4	6	7	9	2	8	3
6	7	2	1	3	8	4	9	5
8	9	3	2	5	4	6	1	7
3	4	7	9	8	1	5	2	6
2	8	6	5	4	3	9	7	1
1	5	9	7	6	2	3	4	8
7	6	1	4	9	5	8	3	2
9	3	5	8	2	7	1	6	4
4	2	8	3	1	6	7	5	9

No 453

7	4	9	6	3	5	1	8	2
1	6	3	9	2	8	5	7	4
2	8	5	4	7	1	3	9	6
9	3	4	8	5	6	7	2	1
8	5	2	1	4	7	6	3	9
6	7	1	3	9	2	4	5	8
5	9	7	2	1	4	8	6	3
3	1	8	5	6	9	2	4	7
4	2	6	7	8	3	9	1	5

No 454

7	2	1	3	5	6	4	8	9
6	5	4	9	7	8	3	1	2
9	3	8	4	2	1	7	6	5
3	8	7	2	4	9	6	5	1
2	4	6	1	3	5	9	7	8
1	9	5	8	6	7	2	4	3
4	6	2	5	8	3	1	9	7
8	7	9	6	1	2	5	3	4
5	1	3	7	9	4	8	2	6

No 455

6	7	1	8	9	5	3	2	4
8	4	2	1	7	3	5	6	9
9	5	3	6	4	2	8	7	1
5	3	4	2	1	7	6	9	8
2	8	9	5	3	6	1	4	7
1	6	7	4	8	9	2	5	3
7	1	5	9	6	8	4	3	2
4	9	6	3	2	1	7	8	5
3	2	8	7	5	4	9	1	6

No 456

4	1	5	7	9	2	3	6	8
8	3	7	6	1	4	5	9	2
6	9	2	3	8	5	4	7	1
2	5	4	1	7	9	8	3	6
1	8	3	2	5	6	9	4	7
9	7	6	4	3	8	1	2	5
7	2	8	5	4	3	6	1	9
5	4	1	9	6	7	2	8	3
3	6	9	8	2	1	7	5	4

Solutions

No 457

7	8	4	3	1	9	6	2	5
2	3	9	6	5	8	1	4	7
6	5	1	2	4	7	9	8	3
1	6	8	7	2	5	3	9	4
4	7	2	8	9	3	5	6	1
3	9	5	4	6	1	2	7	8
5	4	6	1	8	2	7	3	9
9	2	7	5	3	4	8	1	6
8	1	3	9	7	6	4	5	2

No 458

5	3	4	2	1	8	6	9	7
2	8	6	3	9	7	1	4	5
9	7	1	6	4	5	3	8	2
7	6	2	9	8	4	5	3	1
8	4	3	5	6	1	2	7	9
1	5	9	7	3	2	8	6	4
3	2	7	4	5	6	9	1	8
6	1	5	8	7	9	4	2	3
4	9	8	1	2	3	7	5	6

No 459

4	3	7	9	6	8	1	5	2
1	8	2	5	3	4	6	7	9
9	5	6	7	2	1	4	3	8
2	7	4	6	8	3	9	1	5
5	6	9	2	1	7	8	4	3
3	1	8	4	5	9	7	2	6
8	2	5	1	7	6	3	9	4
6	4	1	3	9	2	5	8	7
7	9	3	8	4	5	2	6	1

No 460

2	1	4	6	5	3	9	8	7
3	9	7	2	8	4	5	1	6
5	8	6	1	9	7	4	2	3
1	2	5	4	7	9	3	6	8
4	3	8	5	6	1	7	9	2
7	6	9	8	3	2	1	4	5
9	5	2	3	4	8	6	7	1
6	4	1	7	2	5	8	3	9
8	7	3	9	1	6	2	5	4

No 461

4	5	9	8	7	3	6	2	1
8	2	6	1	5	9	7	4	3
1	7	3	6	2	4	9	8	5
3	1	8	7	9	6	2	5	4
6	4	5	2	1	8	3	9	7
2	9	7	3	4	5	8	1	6
7	8	4	5	6	2	1	3	9
9	6	2	4	3	1	5	7	8
5	3	1	9	8	7	4	6	2

No 462

7	6	5	2	9	4	1	3	8
8	9	4	1	6	3	7	5	2
1	3	2	5	7	8	4	6	9
5	8	6	4	2	7	9	1	3
4	2	9	8	3	1	6	7	5
3	7	1	9	5	6	8	2	4
2	4	3	7	1	9	5	8	6
6	1	8	3	4	5	2	9	7
9	5	7	6	8	2	3	4	1

Solutions

No 463

6	8	1	4	3	2	5	9	7
7	9	5	1	6	8	4	3	2
4	3	2	9	7	5	8	1	6
5	1	9	7	8	4	6	2	3
8	6	7	2	5	3	1	4	9
2	4	3	6	9	1	7	8	5
9	7	4	3	1	6	2	5	8
3	2	8	5	4	7	9	6	1
1	5	6	8	2	9	3	7	4

No 464

9	8	4	3	1	6	5	2	7
3	2	1	5	4	7	9	6	8
6	7	5	2	8	9	4	1	3
7	5	8	4	9	1	6	3	2
1	3	6	7	5	2	8	9	4
4	9	2	8	6	3	7	5	1
5	6	3	1	7	8	2	4	9
2	4	7	9	3	5	1	8	6
8	1	9	6	2	4	3	7	5

No 465

7	8	3	2	6	5	9	4	1
1	5	4	3	9	8	6	7	2
9	6	2	4	7	1	5	8	3
6	1	8	5	3	4	2	9	7
3	2	9	1	8	7	4	6	5
4	7	5	9	2	6	3	1	8
8	4	6	7	5	3	1	2	9
2	3	1	8	4	9	7	5	6
5	9	7	6	1	2	8	3	4

No 466

1	5	2	4	6	8	7	3	9
9	4	3	7	5	2	1	6	8
8	7	6	3	9	1	5	4	2
2	9	1	5	4	6	8	7	3
7	3	4	8	2	9	6	1	5
6	8	5	1	3	7	2	9	4
4	2	8	6	1	3	9	5	7
5	6	9	2	7	4	3	8	1
3	1	7	9	8	5	4	2	6

No 467

4	6	3	7	5	8	1	9	2
2	1	8	9	3	6	7	4	5
9	5	7	1	2	4	8	3	6
3	4	5	2	9	1	6	7	8
6	7	1	4	8	3	5	2	9
8	9	2	5	6	7	3	1	4
5	3	4	8	7	9	2	6	1
1	2	6	3	4	5	9	8	7
7	8	9	6	1	2	4	5	3

No 468

5	3	8	2	4	7	9	6	1
2	1	4	8	6	9	5	3	7
6	7	9	1	3	5	8	2	4
7	8	3	9	2	6	4	1	5
9	2	5	4	8	1	6	7	3
1	4	6	5	7	3	2	8	9
4	6	1	7	9	8	3	5	2
8	9	7	3	5	2	1	4	6
3	5	2	6	1	4	7	9	8

Solutions

No 469

3	5	4	6	7	8	9	1	2
7	8	6	2	9	1	4	5	3
1	2	9	5	4	3	8	6	7
6	9	7	8	2	4	5	3	1
8	1	3	7	5	6	2	4	9
2	4	5	1	3	9	6	7	8
5	6	2	9	1	7	3	8	4
9	3	1	4	8	5	7	2	6
4	7	8	3	6	2	1	9	5

No 470

2	8	6	1	3	7	5	9	4
4	1	9	5	2	6	8	3	7
3	7	5	8	4	9	6	1	2
1	9	7	2	5	8	3	4	6
5	4	8	9	6	3	2	7	1
6	2	3	7	1	4	9	5	8
7	6	2	4	9	5	1	8	3
9	3	4	6	8	1	7	2	5
8	5	1	3	7	2	4	6	9

No 471

4	5	6	2	3	1	7	9	8
7	3	1	8	9	5	6	4	2
2	8	9	4	6	7	5	3	1
8	4	2	6	7	9	1	5	3
1	9	3	5	2	4	8	7	6
5	6	7	3	1	8	4	2	9
6	1	5	9	4	3	2	8	7
9	2	8	7	5	6	3	1	4
3	7	4	1	8	2	9	6	5

No 472

1	2	6	8	5	7	9	4	3
3	9	7	4	2	1	6	8	5
8	4	5	3	6	9	7	1	2
5	8	1	9	4	6	3	2	7
6	3	4	7	1	2	5	9	8
2	7	9	5	8	3	1	6	4
7	1	3	2	9	8	4	5	6
4	6	8	1	7	5	2	3	9
9	5	2	6	3	4	8	7	1

No 473

6	7	8	5	9	1	2	3	4
5	1	3	7	4	2	6	8	9
2	4	9	8	3	6	5	1	7
8	9	7	4	6	5	3	2	1
3	5	4	2	1	7	9	6	8
1	2	6	3	8	9	7	4	5
4	8	2	9	7	3	1	5	6
9	3	1	6	5	4	8	7	2
7	6	5	1	2	8	4	9	3

No 474

4	7	9	6	2	8	3	1	5
8	2	5	4	1	3	9	7	6
3	1	6	9	7	5	8	2	4
6	5	8	2	9	7	4	3	1
7	3	2	1	5	4	6	9	8
9	4	1	3	8	6	7	5	2
2	8	3	5	4	9	1	6	7
5	6	7	8	3	1	2	4	9
1	9	4	7	6	2	5	8	3

Solutions

No 475

6	2	4	3	7	5	8	1	9
5	1	9	4	8	6	7	3	2
7	8	3	9	2	1	5	4	6
2	9	5	8	3	7	4	6	1
3	4	8	1	6	2	9	5	7
1	7	6	5	4	9	3	2	8
9	6	7	2	5	4	1	8	3
4	3	1	6	9	8	2	7	5
8	5	2	7	1	3	6	9	4

No 476

7	5	3	1	6	8	2	4	9
4	8	2	7	3	9	5	6	1
9	6	1	5	4	2	3	8	7
8	9	5	3	2	6	1	7	4
2	4	7	9	8	1	6	3	5
1	3	6	4	7	5	9	2	8
5	7	4	2	9	3	8	1	6
3	1	8	6	5	7	4	9	2
6	2	9	8	1	4	7	5	3

No 477

2	9	5	3	8	7	4	6	1
4	7	1	5	6	9	3	8	2
3	6	8	2	1	4	5	7	9
1	5	7	9	2	6	8	4	3
9	8	3	7	4	1	6	2	5
6	4	2	8	3	5	1	9	7
5	1	9	4	7	8	2	3	6
8	2	6	1	9	3	7	5	4
7	3	4	6	5	2	9	1	8

No 478

2	4	3	7	5	1	9	8	6
9	8	5	6	4	3	7	2	1
6	1	7	8	9	2	5	3	4
7	9	1	4	2	8	6	5	3
3	5	4	1	7	6	2	9	8
8	6	2	5	3	9	4	1	7
1	7	8	2	6	5	3	4	9
5	3	6	9	1	4	8	7	2
4	2	9	3	8	7	1	6	5

No 479

9	7	8	5	4	2	3	6	1
5	4	2	1	3	6	7	9	8
6	3	1	9	7	8	4	2	5
8	9	3	2	1	4	6	5	7
4	1	7	6	5	9	8	3	2
2	5	6	3	8	7	1	4	9
7	6	5	4	2	1	9	8	3
1	2	9	8	6	3	5	7	4
3	8	4	7	9	5	2	1	6

No 480

6	7	1	4	5	3	2	8	9
2	3	4	1	8	9	5	7	6
8	5	9	6	2	7	1	4	3
5	2	8	9	7	1	6	3	4
9	6	3	8	4	2	7	1	5
4	1	7	3	6	5	9	2	8
3	8	2	5	1	6	4	9	7
1	9	5	7	3	4	8	6	2
7	4	6	2	9	8	3	5	1

Solutions

No 481

5	7	6	8	2	4	1	3	9
2	8	1	3	9	5	4	7	6
4	9	3	1	7	6	8	5	2
6	5	7	2	4	9	3	8	1
3	4	2	5	1	8	6	9	7
8	1	9	7	6	3	5	2	4
9	2	5	6	3	1	7	4	8
7	6	8	4	5	2	9	1	3
1	3	4	9	8	7	2	6	5

No 482

3	7	1	4	9	6	5	8	2
9	4	2	5	3	8	1	6	7
5	8	6	2	7	1	3	9	4
6	1	4	8	2	5	9	7	3
7	2	3	1	6	9	8	4	5
8	9	5	7	4	3	6	2	1
2	6	8	3	5	7	4	1	9
1	5	7	9	8	4	2	3	6
4	3	9	6	1	2	7	5	8

No 483

8	3	5	1	4	2	9	6	7
4	1	9	7	8	6	5	3	2
2	7	6	5	3	9	8	4	1
7	6	1	2	9	8	3	5	4
3	9	2	4	1	5	6	7	8
5	4	8	3	6	7	1	2	9
1	5	4	8	7	3	2	9	6
6	8	3	9	2	4	7	1	5
9	2	7	6	5	1	4	8	3

No 484

8	4	1	3	7	9	5	2	6
9	6	2	1	5	8	7	4	3
3	5	7	6	4	2	9	1	8
7	8	6	2	1	3	4	9	5
1	3	5	9	6	4	2	8	7
4	2	9	5	8	7	6	3	1
5	1	3	4	9	6	8	7	2
6	9	8	7	2	1	3	5	4
2	7	4	8	3	5	1	6	9

No 485

7	6	9	2	4	1	5	3	8
4	2	8	5	6	3	1	9	7
5	1	3	7	8	9	2	6	4
3	5	6	8	1	2	7	4	9
2	4	7	3	9	5	8	1	6
9	8	1	6	7	4	3	5	2
1	7	2	4	3	6	9	8	5
6	3	5	9	2	8	4	7	1
8	9	4	1	5	7	6	2	3

No 486

5	9	6	1	2	4	3	8	7
3	1	2	7	5	8	4	6	9
8	7	4	3	6	9	1	5	2
1	8	5	6	9	3	7	2	4
7	6	3	5	4	2	8	9	1
4	2	9	8	1	7	5	3	6
6	4	7	2	3	5	9	1	8
2	3	8	9	7	1	6	4	5
9	5	1	4	8	6	2	7	3

Solutions

No 487

2	9	1	4	6	3	7	8	5
4	8	3	5	7	2	1	9	6
7	6	5	9	1	8	2	4	3
1	3	4	2	5	7	9	6	8
5	7	9	1	8	6	4	3	2
8	2	6	3	4	9	5	7	1
6	1	7	8	9	5	3	2	4
9	5	2	6	3	4	8	1	7
3	4	8	7	2	1	6	5	9

No 488

3	8	5	2	6	1	7	4	9
2	7	1	9	3	4	5	8	6
6	4	9	8	5	7	3	2	1
4	5	2	1	9	8	6	3	7
8	9	3	7	2	6	1	5	4
1	6	7	3	4	5	2	9	8
5	1	6	4	8	3	9	7	2
7	2	4	5	1	9	8	6	3
9	3	8	6	7	2	4	1	5

No 489

7	5	1	6	3	8	9	4	2
6	8	2	5	9	4	7	3	1
3	4	9	2	1	7	6	5	8
5	3	4	1	7	2	8	6	9
2	6	8	3	5	9	4	1	7
9	1	7	4	8	6	3	2	5
1	9	5	8	6	3	2	7	4
8	2	6	7	4	5	1	9	3
4	7	3	9	2	1	5	8	6

No 490

8	5	9	3	7	6	2	4	1
6	7	1	4	5	2	9	8	3
2	3	4	1	8	9	5	7	6
9	8	3	2	1	7	6	5	4
4	1	7	5	6	8	3	2	9
5	2	6	9	3	4	7	1	8
3	9	2	7	4	1	8	6	5
1	6	5	8	2	3	4	9	7
7	4	8	6	9	5	1	3	2

No 491

6	8	1	3	9	4	7	2	5
5	3	9	6	7	2	4	8	1
4	2	7	8	1	5	6	9	3
3	4	5	2	8	9	1	7	6
2	1	6	4	5	7	8	3	9
7	9	8	1	6	3	5	4	2
8	7	2	5	3	6	9	1	4
9	6	4	7	2	1	3	5	8
1	5	3	9	4	8	2	6	7

No 492

5	3	4	1	7	6	2	8	9
7	2	8	4	9	5	1	3	6
6	9	1	2	8	3	7	5	4
3	1	6	7	4	8	5	9	2
2	8	7	9	5	1	4	6	3
9	4	5	6	3	2	8	7	1
8	7	2	3	1	9	6	4	5
4	6	3	5	2	7	9	1	8
1	5	9	8	6	4	3	2	7

Solutions

No 493

3	6	7	4	2	1	8	5	9
8	2	1	5	9	6	4	3	7
5	4	9	8	3	7	6	1	2
6	7	8	3	4	9	5	2	1
4	5	3	1	6	2	7	9	8
9	1	2	7	8	5	3	4	6
7	9	6	2	5	4	1	8	3
2	8	5	6	1	3	9	7	4
1	3	4	9	7	8	2	6	5

No 494

3	5	4	6	1	9	2	7	8
7	8	9	2	5	3	1	4	6
2	6	1	8	7	4	9	5	3
5	4	7	3	9	6	8	2	1
1	2	6	4	8	7	5	3	9
9	3	8	1	2	5	4	6	7
6	1	3	5	4	8	7	9	2
8	7	5	9	6	2	3	1	4
4	9	2	7	3	1	6	8	5

No 495

6	2	8	1	7	9	3	4	5
1	3	4	8	5	6	2	7	9
9	7	5	2	3	4	6	8	1
3	4	7	9	6	8	1	5	2
8	6	2	5	1	7	4	9	3
5	9	1	3	4	2	7	6	8
7	1	3	6	8	5	9	2	4
4	5	9	7	2	3	8	1	6
2	8	6	4	9	1	5	3	7

No 496

3	6	1	5	9	8	4	2	7
7	9	4	6	3	2	5	8	1
5	2	8	7	1	4	9	3	6
8	5	9	4	2	6	7	1	3
1	3	6	9	8	7	2	4	5
4	7	2	1	5	3	6	9	8
9	8	7	3	4	5	1	6	2
6	1	3	2	7	9	8	5	4
2	4	5	8	6	1	3	7	9

No 497

7	6	9	4	2	8	1	5	3
1	2	8	3	6	5	9	4	7
4	5	3	9	1	7	2	6	8
3	1	5	2	8	4	6	7	9
2	9	7	1	5	6	8	3	4
6	8	4	7	9	3	5	1	2
9	3	6	8	7	1	4	2	5
8	7	1	5	4	2	3	9	6
5	4	2	6	3	9	7	8	1

No 498

8	4	1	2	9	3	6	5	7
7	2	5	6	4	1	3	9	8
9	3	6	8	5	7	2	1	4
4	5	8	3	1	6	9	7	2
3	6	9	7	2	5	8	4	1
2	1	7	4	8	9	5	3	6
5	7	4	9	6	8	1	2	3
1	8	2	5	3	4	7	6	9
6	9	3	1	7	2	4	8	5

Solutions

No 499

2	3	5	9	8	1	6	7	4
6	7	1	2	3	4	8	5	9
4	9	8	5	6	7	1	3	2
1	5	4	3	7	8	2	9	6
7	2	6	4	1	9	3	8	5
9	8	3	6	2	5	7	4	1
5	6	2	7	4	3	9	1	8
3	1	9	8	5	2	4	6	7
8	4	7	1	9	6	5	2	3

No 500

5	6	9	8	3	2	7	1	4
2	8	3	1	4	7	6	5	9
1	7	4	6	9	5	2	8	3
7	2	8	4	5	9	3	6	1
9	3	1	7	8	6	4	2	5
4	5	6	2	1	3	8	9	7
8	9	7	3	2	1	5	4	6
6	1	2	5	7	4	9	3	8
3	4	5	9	6	8	1	7	2

No 501

3	5	2	4	7	9	8	6	1
6	8	7	3	5	1	9	2	4
1	9	4	6	2	8	5	3	7
2	4	6	8	1	5	3	7	9
7	3	5	2	9	4	6	1	8
9	1	8	7	6	3	4	5	2
8	2	9	5	3	7	1	4	6
5	7	1	9	4	6	2	8	3
4	6	3	1	8	2	7	9	5

No 502

3	2	9	6	8	1	5	7	4
8	7	6	5	9	4	1	2	3
1	5	4	2	3	7	8	9	6
2	9	7	1	6	8	3	4	5
5	4	1	3	7	9	6	8	2
6	8	3	4	5	2	7	1	9
4	1	5	7	2	6	9	3	8
9	6	2	8	1	3	4	5	7
7	3	8	9	4	5	2	6	1

No 503

6	5	4	8	9	3	7	2	1
8	1	2	4	7	5	9	6	3
7	9	3	1	6	2	4	5	8
3	7	9	2	4	6	1	8	5
5	8	6	9	1	7	3	4	2
4	2	1	3	5	8	6	7	9
2	6	8	7	3	9	5	1	4
1	3	5	6	8	4	2	9	7
9	4	7	5	2	1	8	3	6

No 504

8	7	5	9	1	4	3	2	6
4	6	1	2	3	7	5	8	9
2	9	3	8	5	6	1	7	4
1	5	9	6	8	2	7	4	3
6	8	4	7	9	3	2	1	5
7	3	2	1	4	5	9	6	8
9	2	8	5	6	1	4	3	7
5	4	7	3	2	8	6	9	1
3	1	6	4	7	9	8	5	2

Solutions

No 505

3	2	5	6	8	1	4	9	7
6	9	4	5	7	3	8	2	1
8	7	1	2	4	9	6	3	5
2	6	7	9	3	5	1	8	4
1	8	9	7	2	4	3	5	6
4	5	3	8	1	6	9	7	2
7	4	8	1	9	2	5	6	3
5	3	2	4	6	8	7	1	9
9	1	6	3	5	7	2	4	8

No 506

3	8	6	5	4	7	2	1	9
2	5	9	8	1	3	6	7	4
4	7	1	6	9	2	3	5	8
9	1	7	3	8	4	5	2	6
5	6	4	7	2	9	1	8	3
8	2	3	1	5	6	9	4	7
6	3	5	2	7	8	4	9	1
1	4	8	9	6	5	7	3	2
7	9	2	4	3	1	8	6	5

No 507

5	2	9	4	6	1	7	3	8
7	3	1	8	5	9	2	4	6
6	8	4	2	3	7	1	5	9
1	7	5	9	4	6	8	2	3
2	9	3	7	1	8	4	6	5
8	4	6	5	2	3	9	1	7
9	1	2	6	7	5	3	8	4
4	6	7	3	8	2	5	9	1
3	5	8	1	9	4	6	7	2

No 508

2	9	3	1	6	5	8	4	7
4	8	5	2	3	7	6	9	1
1	7	6	8	9	4	5	3	2
7	4	2	6	1	9	3	8	5
8	6	9	5	2	3	7	1	4
5	3	1	7	4	8	2	6	9
3	5	7	9	8	1	4	2	6
6	1	4	3	7	2	9	5	8
9	2	8	4	5	6	1	7	3

No 509

9	4	1	6	7	5	8	2	3
6	2	7	3	8	9	5	1	4
3	8	5	1	2	4	7	9	6
2	7	3	9	4	1	6	8	5
4	6	9	5	3	8	2	7	1
5	1	8	7	6	2	3	4	9
7	3	4	2	1	6	9	5	8
1	5	2	8	9	3	4	6	7
8	9	6	4	5	7	1	3	2

No 510

4	9	2	8	5	6	3	7	1
6	5	1	7	4	3	9	2	8
7	8	3	9	2	1	5	4	6
2	4	5	3	8	7	6	1	9
3	7	9	6	1	2	8	5	4
1	6	8	5	9	4	2	3	7
5	3	7	1	6	8	4	9	2
8	1	4	2	3	9	7	6	5
9	2	6	4	7	5	1	8	3

Solutions

No 511

8	3	4	9	6	2	5	7	1
5	2	1	7	3	4	8	9	6
9	7	6	8	5	1	2	4	3
2	8	9	5	7	3	1	6	4
7	4	3	1	2	6	9	5	8
6	1	5	4	8	9	7	3	2
1	6	2	3	9	7	4	8	5
4	5	7	6	1	8	3	2	9
3	9	8	2	4	5	6	1	7

No 512

6	7	5	3	2	8	1	9	4
1	3	9	5	4	7	2	8	6
4	2	8	9	1	6	5	3	7
8	9	1	7	3	4	6	2	5
3	5	4	6	8	2	9	7	1
7	6	2	1	9	5	3	4	8
2	1	7	4	5	3	8	6	9
5	8	6	2	7	9	4	1	3
9	4	3	8	6	1	7	5	2

No 513

2	6	5	8	1	4	3	7	9
3	7	8	6	9	2	4	1	5
4	9	1	3	5	7	2	8	6
9	4	7	1	2	3	6	5	8
5	2	6	4	7	8	9	3	1
8	1	3	9	6	5	7	4	2
1	5	9	7	4	6	8	2	3
7	3	2	5	8	9	1	6	4
6	8	4	2	3	1	5	9	7

No 514

5	3	2	6	4	8	9	7	1
4	7	8	3	1	9	2	5	6
1	9	6	5	2	7	4	8	3
7	8	9	4	3	1	6	2	5
2	5	4	9	7	6	3	1	8
3	6	1	8	5	2	7	4	9
9	2	3	7	8	5	1	6	4
6	1	5	2	9	4	8	3	7
8	4	7	1	6	3	5	9	2

No 515

7	8	4	1	9	5	3	6	2
3	5	9	6	2	7	8	1	4
1	2	6	3	8	4	7	9	5
9	7	3	5	1	6	4	2	8
5	1	2	4	7	8	6	3	9
6	4	8	9	3	2	5	7	1
8	6	7	2	5	1	9	4	3
2	3	5	7	4	9	1	8	6
4	9	1	8	6	3	2	5	7

No 516

8	7	9	3	6	2	4	5	1
3	4	5	8	1	9	7	2	6
6	2	1	4	7	5	8	9	3
4	6	7	2	5	3	1	8	9
9	3	2	1	8	4	6	7	5
1	5	8	7	9	6	3	4	2
5	9	4	6	3	7	2	1	8
2	1	3	5	4	8	9	6	7
7	8	6	9	2	1	5	3	4

Solutions

No 517

6	2	1	7	3	8	5	4	9
5	7	9	4	2	6	1	8	3
4	3	8	1	9	5	7	6	2
1	6	3	8	7	4	2	9	5
9	8	7	3	5	2	4	1	6
2	4	5	6	1	9	8	3	7
7	9	4	5	6	1	3	2	8
3	1	6	2	8	7	9	5	4
8	5	2	9	4	3	6	7	1

No 518

2	5	3	9	1	4	7	6	8
6	7	1	2	8	5	9	4	3
8	4	9	7	6	3	5	1	2
1	2	5	3	7	6	4	8	9
4	9	6	8	2	1	3	7	5
7	3	8	5	4	9	6	2	1
3	6	2	4	5	8	1	9	7
9	1	7	6	3	2	8	5	4
5	8	4	1	9	7	2	3	6

No 519

6	8	4	9	3	5	2	1	7
2	1	5	7	4	6	9	3	8
3	7	9	2	1	8	5	6	4
8	4	3	1	7	2	6	5	9
9	6	2	8	5	4	3	7	1
7	5	1	3	6	9	4	8	2
4	3	8	5	9	7	1	2	6
1	2	6	4	8	3	7	9	5
5	9	7	6	2	1	8	4	3

No 520

7	4	6	1	3	5	8	2	9
3	2	8	6	9	7	5	4	1
5	9	1	8	2	4	3	7	6
9	6	7	4	1	8	2	5	3
2	1	3	5	7	9	4	6	8
4	8	5	2	6	3	1	9	7
1	5	4	9	8	6	7	3	2
6	3	2	7	5	1	9	8	4
8	7	9	3	4	2	6	1	5

No 521

3	7	4	2	5	6	8	9	1
9	2	8	3	7	1	4	6	5
6	1	5	8	9	4	3	7	2
2	4	7	9	6	8	5	1	3
8	6	3	1	4	5	9	2	7
1	5	9	7	2	3	6	4	8
4	8	2	6	3	7	1	5	9
5	9	1	4	8	2	7	3	6
7	3	6	5	1	9	2	8	4

No 522

9	7	4	2	8	3	6	5	1
8	2	6	1	5	4	7	9	3
1	3	5	6	9	7	8	2	4
6	5	7	9	4	1	3	8	2
4	9	1	3	2	8	5	6	7
3	8	2	5	7	6	4	1	9
7	1	8	4	6	9	2	3	5
2	6	3	7	1	5	9	4	8
5	4	9	8	3	2	1	7	6

Solutions

No 523

8	5	2	1	7	3	4	9	6
9	3	6	4	5	8	7	2	1
1	7	4	2	9	6	8	3	5
2	4	5	3	1	9	6	7	8
6	8	1	7	4	2	3	5	9
3	9	7	8	6	5	2	1	4
4	1	3	9	8	7	5	6	2
5	2	9	6	3	4	1	8	7
7	6	8	5	2	1	9	4	3

No 524

9	5	1	3	8	4	2	6	7
2	7	8	6	9	5	3	1	4
4	3	6	2	1	7	5	9	8
7	6	9	5	4	8	1	3	2
3	8	5	1	7	2	9	4	6
1	4	2	9	3	6	8	7	5
5	1	7	4	2	3	6	8	9
6	9	4	8	5	1	7	2	3
8	2	3	7	6	9	4	5	1

No 525

1	8	5	2	3	6	7	4	9
9	7	6	5	4	1	8	3	2
3	4	2	7	8	9	1	6	5
5	2	7	9	6	8	3	1	4
8	9	3	4	1	5	2	7	6
4	6	1	3	2	7	9	5	8
6	3	4	8	7	2	5	9	1
2	1	9	6	5	3	4	8	7
7	5	8	1	9	4	6	2	3

No 526

5	1	6	2	3	9	7	4	8
9	4	7	1	8	6	5	2	3
3	8	2	4	5	7	1	6	9
4	7	8	9	2	3	6	5	1
1	3	9	6	4	5	8	7	2
2	6	5	7	1	8	9	3	4
8	5	4	3	6	1	2	9	7
7	2	1	5	9	4	3	8	6
6	9	3	8	7	2	4	1	5

No 527

7	4	6	1	5	3	2	8	9
9	5	2	8	7	4	1	3	6
8	1	3	2	6	9	4	7	5
6	8	7	5	9	1	3	2	4
1	9	5	3	4	2	8	6	7
2	3	4	7	8	6	9	5	1
3	2	9	6	1	5	7	4	8
4	6	8	9	3	7	5	1	2
5	7	1	4	2	8	6	9	3

No 528

9	6	2	4	8	5	3	1	7
7	3	5	1	9	6	4	8	2
4	1	8	2	7	3	9	6	5
2	8	3	6	4	9	5	7	1
5	9	7	8	1	2	6	3	4
1	4	6	3	5	7	2	9	8
3	7	4	5	6	1	8	2	9
8	2	9	7	3	4	1	5	6
6	5	1	9	2	8	7	4	3

Solutions

No 529

4	1	5	8	2	9	3	6	7
7	9	2	3	6	1	4	5	8
6	8	3	4	5	7	9	1	2
8	2	4	9	7	6	5	3	1
9	5	1	2	4	3	7	8	6
3	7	6	1	8	5	2	9	4
2	3	8	6	9	4	1	7	5
5	6	9	7	1	2	8	4	3
1	4	7	5	3	8	6	2	9

No 530

2	7	6	4	3	5	8	9	1
4	3	1	2	9	8	5	7	6
5	8	9	7	1	6	3	2	4
8	4	2	6	5	7	1	3	9
1	5	3	9	2	4	6	8	7
6	9	7	1	8	3	4	5	2
3	6	4	8	7	9	2	1	5
9	1	8	5	4	2	7	6	3
7	2	5	3	6	1	9	4	8

No 531

1	6	3	9	7	4	8	2	5
9	7	2	8	5	3	1	6	4
8	5	4	2	1	6	7	3	9
7	1	8	6	2	5	4	9	3
2	4	6	1	3	9	5	8	7
5	3	9	4	8	7	2	1	6
3	9	1	7	4	2	6	5	8
6	2	7	5	9	8	3	4	1
4	8	5	3	6	1	9	7	2

No 532

7	2	9	3	5	8	6	1	4
1	5	8	6	4	7	2	9	3
3	6	4	9	1	2	7	8	5
4	1	3	2	6	9	8	5	7
5	9	6	7	8	4	3	2	1
8	7	2	5	3	1	9	4	6
9	8	5	4	7	3	1	6	2
6	3	1	8	2	5	4	7	9
2	4	7	1	9	6	5	3	8

No 533

6	1	7	9	4	5	2	8	3
4	2	8	1	3	6	5	7	9
5	9	3	8	7	2	6	4	1
2	5	1	7	6	9	8	3	4
3	7	6	2	8	4	1	9	5
8	4	9	3	5	1	7	6	2
7	8	2	4	1	3	9	5	6
9	3	5	6	2	7	4	1	8
1	6	4	5	9	8	3	2	7

No 534

2	9	4	1	3	8	6	7	5
1	8	6	7	9	5	4	3	2
3	5	7	6	4	2	9	1	8
4	3	1	2	8	6	5	9	7
6	2	5	9	7	1	8	4	3
8	7	9	3	5	4	2	6	1
7	4	3	5	2	9	1	8	6
9	6	2	8	1	7	3	5	4
5	1	8	4	6	3	7	2	9

Solutions

No 535

6	3	4	8	5	2	1	7	9
7	1	8	3	6	9	2	5	4
5	9	2	7	1	4	6	3	8
8	2	5	9	7	6	4	1	3
1	6	7	5	4	3	9	8	2
9	4	3	2	8	1	5	6	7
4	5	9	1	3	7	8	2	6
3	8	6	4	2	5	7	9	1
2	7	1	6	9	8	3	4	5

No 536

6	3	2	9	7	1	8	4	5
7	5	1	8	6	4	2	9	3
9	8	4	2	5	3	7	1	6
4	2	5	3	1	7	6	8	9
3	1	9	4	8	6	5	7	2
8	7	6	5	9	2	4	3	1
2	4	8	1	3	5	9	6	7
5	6	3	7	4	9	1	2	8
1	9	7	6	2	8	3	5	4

No 537

4	3	6	5	9	1	2	8	7
9	8	2	7	6	3	1	5	4
5	1	7	2	8	4	3	6	9
6	7	8	1	3	2	4	9	5
2	5	1	6	4	9	7	3	8
3	9	4	8	5	7	6	1	2
7	2	3	9	1	5	8	4	6
1	6	9	4	2	8	5	7	3
8	4	5	3	7	6	9	2	1

No 538

1	8	3	9	4	7	6	2	5
2	9	6	1	3	5	8	7	4
5	4	7	2	6	8	9	3	1
4	2	8	3	7	1	5	9	6
3	6	9	8	5	4	7	1	2
7	1	5	6	9	2	4	8	3
6	7	2	5	1	9	3	4	8
8	3	4	7	2	6	1	5	9
9	5	1	4	8	3	2	6	7

No 539

4	6	9	5	3	1	8	7	2
8	1	2	6	4	7	9	3	5
3	5	7	9	8	2	6	4	1
1	9	3	7	2	6	4	5	8
5	8	4	3	1	9	7	2	6
2	7	6	4	5	8	3	1	9
6	4	5	1	9	3	2	8	7
9	2	1	8	7	4	5	6	3
7	3	8	2	6	5	1	9	4

No 540

9	7	6	5	3	4	8	1	2
5	4	2	8	6	1	9	3	7
1	8	3	2	7	9	5	4	6
2	1	7	9	4	3	6	8	5
3	5	9	6	1	8	7	2	4
4	6	8	7	5	2	3	9	1
7	2	4	3	9	6	1	5	8
6	9	1	4	8	5	2	7	3
8	3	5	1	2	7	4	6	9

Solutions

No 541

3	7	8	6	1	2	9	5	4
5	4	9	7	3	8	2	6	1
1	6	2	5	9	4	7	8	3
6	1	7	8	2	3	4	9	5
2	8	4	9	6	5	3	1	7
9	3	5	4	7	1	8	2	6
4	9	1	2	5	7	6	3	8
8	2	3	1	4	6	5	7	9
7	5	6	3	8	9	1	4	2

No 542

4	7	9	6	2	5	8	3	1
6	3	2	1	4	8	7	9	5
1	8	5	7	9	3	2	4	6
5	2	8	4	7	1	3	6	9
3	6	7	8	5	9	4	1	2
9	4	1	2	3	6	5	8	7
8	1	3	5	6	7	9	2	4
2	5	6	9	8	4	1	7	3
7	9	4	3	1	2	6	5	8

No 543

7	6	9	8	3	2	1	5	4
5	4	1	9	6	7	8	3	2
8	3	2	4	1	5	9	6	7
1	5	4	3	9	8	2	7	6
6	2	3	5	7	1	4	9	8
9	7	8	6	2	4	5	1	3
3	8	7	2	5	9	6	4	1
4	9	6	1	8	3	7	2	5
2	1	5	7	4	6	3	8	9

No 544

8	1	6	2	5	9	7	3	4
5	7	2	1	3	4	9	6	8
4	3	9	6	7	8	2	1	5
6	2	7	9	8	3	5	4	1
1	4	8	5	6	7	3	2	9
3	9	5	4	2	1	6	8	7
9	6	3	8	1	5	4	7	2
7	8	4	3	9	2	1	5	6
2	5	1	7	4	6	8	9	3

No 545

9	7	6	1	5	8	2	3	4
8	4	1	2	3	7	6	9	5
3	2	5	4	6	9	8	1	7
2	9	3	7	1	4	5	8	6
7	1	4	5	8	6	3	2	9
5	6	8	3	9	2	7	4	1
6	3	7	8	4	1	9	5	2
4	8	2	9	7	5	1	6	3
1	5	9	6	2	3	4	7	8

No 546

1	7	9	5	2	3	6	4	8
4	5	3	6	8	9	1	2	7
8	2	6	1	7	4	9	5	3
9	6	5	8	1	2	3	7	4
3	1	7	4	5	6	8	9	2
2	8	4	3	9	7	5	6	1
7	3	2	9	6	8	4	1	5
6	4	1	2	3	5	7	8	9
5	9	8	7	4	1	2	3	6

Solutions

No 547

2	3	5	8	6	4	1	7	9
9	8	4	5	7	1	6	2	3
6	7	1	9	2	3	4	5	8
8	5	3	1	9	7	2	4	6
4	6	7	2	5	8	9	3	1
1	9	2	4	3	6	5	8	7
7	2	6	3	1	5	8	9	4
5	1	8	7	4	9	3	6	2
3	4	9	6	8	2	7	1	5

No 548

4	6	3	2	9	8	7	5	1
1	9	8	5	3	7	2	4	6
5	2	7	1	6	4	8	9	3
9	5	2	7	4	3	6	1	8
8	4	1	6	2	5	9	3	7
3	7	6	8	1	9	4	2	5
7	1	5	4	8	2	3	6	9
2	8	9	3	5	6	1	7	4
6	3	4	9	7	1	5	8	2

No 549

6	1	3	2	5	7	4	9	8
5	2	4	8	9	1	7	6	3
8	7	9	4	6	3	5	2	1
2	6	7	5	3	4	8	1	9
4	3	5	1	8	9	2	7	6
9	8	1	6	7	2	3	4	5
1	5	8	7	4	6	9	3	2
3	4	2	9	1	8	6	5	7
7	9	6	3	2	5	1	8	4

No 550

9	7	4	6	3	1	5	8	2
6	5	8	2	9	4	3	7	1
3	1	2	7	5	8	9	6	4
4	3	7	1	6	2	8	9	5
1	6	5	3	8	9	4	2	7
2	8	9	4	7	5	6	1	3
5	2	6	8	4	7	1	3	9
7	4	3	9	1	6	2	5	8
8	9	1	5	2	3	7	4	6

No 551

9	4	1	6	8	2	3	7	5
8	5	2	3	9	7	4	1	6
6	7	3	1	5	4	9	2	8
2	1	9	5	4	3	6	8	7
4	8	6	9	7	1	5	3	2
7	3	5	8	2	6	1	9	4
3	2	4	7	6	9	8	5	1
5	9	7	4	1	8	2	6	3
1	6	8	2	3	5	7	4	9

No 552

3	7	9	8	6	5	4	2	1
5	4	8	1	7	2	6	3	9
6	2	1	9	4	3	5	8	7
7	5	2	4	8	9	3	1	6
9	3	6	5	1	7	8	4	2
1	8	4	2	3	6	7	9	5
4	9	5	6	2	8	1	7	3
2	1	3	7	5	4	9	6	8
8	6	7	3	9	1	2	5	4

Solutions

No 553

3	5	7	6	2	4	9	1	8
9	1	4	8	5	7	3	2	6
2	6	8	9	3	1	7	4	5
4	7	6	1	8	9	2	5	3
5	8	3	7	4	2	1	6	9
1	2	9	5	6	3	4	8	7
7	9	5	2	1	6	8	3	4
8	4	1	3	9	5	6	7	2
6	3	2	4	7	8	5	9	1

No 554

3	6	7	1	5	4	9	8	2
8	4	9	7	2	6	3	1	5
1	5	2	3	8	9	4	6	7
2	8	5	6	3	7	1	9	4
7	1	6	9	4	5	2	3	8
9	3	4	8	1	2	7	5	6
5	9	1	2	7	8	6	4	3
4	2	3	5	6	1	8	7	9
6	7	8	4	9	3	5	2	1

No 555

5	1	9	6	7	8	4	2	3
6	8	7	3	4	2	5	1	9
3	2	4	9	1	5	7	6	8
4	6	3	8	2	7	9	5	1
8	5	2	1	3	9	6	7	4
7	9	1	5	6	4	3	8	2
1	4	5	2	9	6	8	3	7
9	3	6	7	8	1	2	4	5
2	7	8	4	5	3	1	9	6

No 556

8	9	1	2	5	3	6	7	4
5	2	4	6	7	8	9	3	1
6	3	7	4	1	9	5	2	8
7	8	2	9	6	4	1	5	3
3	5	9	7	2	1	4	8	6
4	1	6	8	3	5	7	9	2
9	6	8	5	4	2	3	1	7
1	7	5	3	8	6	2	4	9
2	4	3	1	9	7	8	6	5

No 557

2	8	4	9	7	3	6	1	5
3	9	7	1	6	5	2	8	4
5	1	6	2	8	4	7	3	9
6	3	5	7	1	9	4	2	8
9	2	1	4	5	8	3	7	6
7	4	8	6	3	2	5	9	1
8	6	2	3	4	1	9	5	7
4	5	3	8	9	7	1	6	2
1	7	9	5	2	6	8	4	3

No 558

6	2	9	3	4	8	5	7	1
1	8	7	5	9	6	2	3	4
4	3	5	7	2	1	9	8	6
2	7	1	6	3	5	8	4	9
8	9	3	4	7	2	6	1	5
5	4	6	8	1	9	3	2	7
3	6	2	1	5	4	7	9	8
7	5	4	9	8	3	1	6	2
9	1	8	2	6	7	4	5	3

Solutions

No 559

7	3	8	2	5	6	9	1	4
2	5	1	8	4	9	7	3	6
6	9	4	7	3	1	5	8	2
4	1	7	5	9	2	8	6	3
5	8	3	1	6	4	2	9	7
9	6	2	3	8	7	1	4	5
3	7	9	6	2	8	4	5	1
8	2	6	4	1	5	3	7	9
1	4	5	9	7	3	6	2	8

No 560

8	6	9	7	1	5	4	2	3
3	2	4	9	6	8	7	5	1
1	7	5	3	2	4	8	6	9
9	4	3	2	8	7	6	1	5
6	8	2	5	4	1	9	3	7
7	5	1	6	3	9	2	4	8
2	3	7	1	9	6	5	8	4
5	1	8	4	7	2	3	9	6
4	9	6	8	5	3	1	7	2

No 561

5	13	14	9	11	6	3	10	2	7	1	8	4	15	12	16
8	4	10	2	5	1	15	9	6	11	16	12	13	3	14	7
16	7	6	1	8	2	12	14	13	15	3	4	9	11	5	10
11	3	12	15	13	7	4	16	14	5	10	9	8	6	1	2
13	11	9	12	16	10	2	3	4	14	7	15	5	8	6	1
3	14	4	10	9	8	6	11	5	1	12	2	7	16	15	13
1	8	16	5	7	4	14	15	9	6	11	13	12	2	10	3
6	2	15	7	1	12	13	5	16	10	8	3	14	4	9	11
9	15	13	8	10	16	1	2	11	12	4	6	3	5	7	14
14	6	1	4	15	11	5	12	7	3	2	16	10	13	8	9
10	12	11	3	4	9	7	13	15	8	14	5	16	1	2	6
2	5	7	16	3	14	8	6	1	13	9	10	11	12	4	15
15	9	8	11	12	13	10	4	3	2	6	7	1	14	16	5
4	16	5	6	14	3	11	8	10	9	15	1	2	7	13	12
12	1	2	14	6	5	9	7	8	16	13	11	15	10	3	4
7	10	3	13	2	15	16	1	12	4	5	14	6	9	11	8

No 562

1	15	16	10	6	4	5	14	8	9	2	12	7	11	13	3
8	9	2	12	7	11	13	3	1	15	16	10	6	4	5	14
14	5	4	6	12	2	9	8	3	13	11	7	10	16	15	1
3	13	11	7	10	16	15	1	14	5	4	6	12	2	9	8
10	16	15	1	14	5	4	6	12	2	9	8	3	13	11	7
12	2	9	8	3	13	11	7	10	16	15	1	14	5	4	6
6	4	5	14	8	9	2	12	7	11	13	3	1	15	16	10
7	11	13	3	1	15	16	10	6	4	5	14	8	9	2	12
15	1	10	16	4	6	14	5	9	8	12	2	11	7	3	13
9	8	12	2	11	7	3	13	15	1	10	16	4	6	14	5
5	14	6	4	2	12	8	9	13	3	7	11	16	10	1	15
13	3	7	11	16	10	1	15	5	14	6	4	2	12	8	9
16	10	1	15	5	14	6	4	2	12	8	9	13	3	7	11
2	12	8	9	13	3	7	11	16	10	1	15	5	14	6	4
4	6	14	5	9	8	12	2	11	7	3	13	15	1	10	16
11	7	3	13	15	1	10	16	4	6	14	5	9	8	12	2

No 563

5	10	11	9	15	16	13	8	14	2	1	4	12	6	3	7
14	2	1	4	12	6	3	7	5	10	11	9	15	16	13	8
7	3	6	12	9	11	10	5	8	13	16	15	4	1	2	14
8	13	16	15	4	1	2	14	7	3	6	12	9	11	10	5
10	5	9	11	16	15	8	13	2	14	4	1	6	12	7	3
2	14	4	1	6	12	7	3	10	5	9	11	16	15	8	13
3	7	12	6	11	9	5	10	13	8	15	16	1	4	14	2
13	8	15	16	1	4	14	2	3	7	12	6	11	9	5	10
9	11	10	5	8	13	16	15	4	1	2	14	7	3	6	12
4	1	2	14	7	3	6	12	9	11	10	5	8	13	16	15
12	6	3	7	5	10	11	9	15	16	13	8	14	2	1	4
15	16	13	8	14	2	1	4	12	6	3	7	5	10	11	9
11	9	5	10	13	8	15	16	1	4	14	2	3	7	12	6
1	4	14	2	3	7	12	6	11	9	5	10	13	8	15	16
6	12	7	3	10	5	9	11	16	15	8	13	2	14	4	1
16	15	8	13	2	14	4	1	6	12	7	3	10	5	9	11

No 564

3	5	12	11	16	7	10	14	4	6	8	13	9	2	15	1
6	2	16	1	8	4	3	13	7	15	12	9	11	14	5	10
9	4	14	8	12	15	5	11	3	1	2	10	7	6	16	13
10	7	13	15	1	6	2	9	11	16	14	5	4	12	3	8
16	12	6	4	10	14	8	7	13	9	3	11	5	15	1	2
8	14	9	5	15	11	13	12	2	10	1	6	3	7	4	16
2	15	10	3	6	5	9	1	16	8	7	4	12	11	13	14
13	11	1	7	2	3	4	16	5	14	15	12	10	8	9	6
15	16	4	14	3	9	6	10	1	12	11	7	8	13	2	5
11	6	5	12	4	13	15	2	14	3	10	8	16	1	7	9
1	8	3	9	7	16	12	5	6	4	13	2	15	10	14	11
7	10	2	13	14	1	11	8	9	5	16	15	6	3	12	4
12	1	8	16	9	2	7	4	15	11	6	14	13	5	10	3
14	9	7	6	11	10	1	3	12	13	5	16	2	4	8	15
4	13	15	2	5	8	14	6	10	7	9	3	1	16	11	12
5	3	11	10	13	12	16	15	8	2	4	1	14	9	6	7

Solutions

No 565

6	7	8	11	13	15	10	12	9	3	2	5	14	16	1	4
13	15	10	12	6	7	8	11	14	16	1	4	9	3	2	5
5	2	3	9	4	1	16	14	12	10	15	13	11	8	7	6
4	1	16	14	5	2	3	9	11	8	7	6	12	10	15	13
11	8	7	6	12	10	15	13	5	2	3	9	4	1	16	14
12	10	15	13	11	8	7	6	4	1	16	14	5	2	3	9
9	3	2	5	14	16	1	4	13	15	10	12	6	7	8	11
14	16	1	4	9	3	2	5	6	7	8	11	13	15	10	12
8	11	6	7	10	12	13	15	2	5	9	3	1	4	14	16
10	12	13	15	8	11	6	7	1	4	14	16	2	5	9	3
3	9	5	2	16	14	4	1	15	13	12	10	7	6	11	8
16	14	4	1	3	9	5	2	7	6	11	8	15	13	12	10
7	6	11	8	15	13	12	10	3	9	5	2	16	14	4	1
15	13	12	10	7	6	11	8	16	14	4	1	3	9	5	2
2	5	9	3	1	4	14	16	10	12	13	15	8	11	6	7
1	4	14	16	2	5	9	3	8	11	6	7	10	12	13	15

No 566

13	7	11	5	8	16	3	14	10	1	15	12	9	4	6	2
2	6	4	9	12	15	1	10	5	11	7	13	14	3	16	8
8	16	3	14	13	7	11	5	9	4	6	2	10	1	15	12
12	15	1	10	2	6	4	9	14	3	16	8	5	11	7	13
5	11	7	13	14	3	16	8	12	15	1	10	2	6	4	9
9	4	6	2	10	1	15	12	13	7	11	5	8	16	3	14
14	3	16	8	5	11	7	13	2	6	4	9	12	15	1	10
10	1	15	12	9	4	6	2	8	16	3	14	13	7	11	5
11	5	13	7	3	14	8	16	15	12	10	1	6	2	9	4
4	9	2	6	1	10	12	15	7	13	5	11	16	8	14	3
3	14	8	16	11	5	13	7	6	2	9	4	15	12	10	1
1	10	12	15	4	9	2	6	16	8	14	3	7	13	5	11
7	13	5	11	16	8	14	3	1	10	12	15	4	9	2	6
6	2	9	4	15	12	10	1	11	5	13	7	3	14	8	16
16	8	14	3	7	13	5	11	4	9	2	6	1	10	12	15
15	12	10	1	6	2	9	4	3	14	8	16	11	5	13	7

No 567

5	3	11	10	13	12	16	15	8	2	4	1	14	9	6	7
4	13	15	2	5	8	14	6	10	7	9	3	1	16	11	12
14	9	7	6	11	10	1	3	12	13	5	16	2	4	8	15
12	1	8	16	9	2	7	4	15	11	6	14	13	5	10	3
7	10	2	13	14	1	11	8	9	5	16	15	6	3	12	4
11	6	5	12	4	13	15	2	14	3	10	8	16	1	7	9
1	8	3	9	7	16	12	5	6	4	13	2	15	10	14	11
15	16	4	14	3	9	6	10	1	12	11	7	8	13	2	5
13	11	1	7	2	3	4	16	5	14	15	12	10	8	9	6
8	14	9	5	15	11	13	12	2	10	1	6	3	7	4	16
2	15	10	3	6	5	9	1	16	8	7	4	12	11	13	14
16	12	6	4	10	14	8	7	13	9	3	11	5	15	1	2
10	7	13	15	1	6	2	9	11	16	14	5	4	12	3	8
9	4	14	8	12	15	5	11	3	1	2	10	7	6	16	13
6	2	16	1	8	4	3	13	7	15	12	9	11	14	5	10
3	5	12	11	16	7	10	14	4	6	8	13	9	2	15	1

No 568

3	10	15	11	12	16	9	13	1	2	8	14	4	5	6	7
1	2	8	14	4	5	6	7	3	10	15	11	12	16	9	13
7	6	5	4	11	15	10	3	13	9	16	12	14	8	2	1
13	9	16	12	14	8	2	1	7	6	5	4	11	15	10	3
15	11	3	10	9	13	12	16	8	14	1	2	6	7	4	5
8	14	1	2	6	7	4	5	15	11	3	10	9	13	12	16
5	4	7	6	10	3	11	15	16	12	13	9	2	1	14	8
16	12	13	9	2	1	14	8	5	4	7	6	10	3	11	15
11	15	10	3	13	9	16	12	14	8	2	1	7	6	5	4
14	8	2	1	7	6	5	4	11	15	10	3	13	9	16	12
4	5	6	7	3	10	15	11	12	16	9	13	1	2	8	14
12	16	9	13	1	2	8	14	4	5	6	7	3	10	15	11
10	3	11	15	16	12	13	9	2	1	14	8	5	4	7	6
2	1	14	8	5	4	7	6	10	3	11	15	16	12	13	9
6	7	4	5	15	11	3	10	9	13	12	16	8	14	1	2
9	13	12	16	8	14	1	2	6	7	4	5	15	11	3	10

No 569

6	14	2	8	16	13	7	11	12	5	4	10	1	15	9	3
12	5	4	10	1	15	9	3	6	14	2	8	16	13	7	11
11	7	13	16	10	4	5	12	3	9	15	1	8	2	14	6
3	9	15	1	8	2	14	6	11	7	13	16	10	4	5	12
2	8	6	14	7	11	16	13	4	10	12	5	9	3	1	15
4	10	12	5	9	3	1	15	2	8	6	14	7	11	16	13
13	16	11	7	5	12	10	4	15	1	3	9	14	6	8	2
15	1	3	9	14	6	8	2	13	16	11	7	5	12	10	4
8	2	14	6	11	7	13	16	10	4	5	12	3	9	15	1
10	4	5	12	3	9	15	1	8	2	14	6	11	7	13	16
16	13	7	11	12	5	4	10	1	15	9	3	6	14	2	8
1	15	9	3	6	14	2	8	16	13	7	11	12	5	4	10
14	6	8	2	13	16	11	7	5	12	10	4	15	1	3	9
5	12	10	4	15	1	3	9	14	6	8	2	13	16	11	7
7	11	16	13	4	10	12	5	9	3	1	15	2	8	6	14
9	3	1	15	2	8	6	14	7	11	16	13	4	10	12	5

No 570

3	2	14	15	4	11	7	5	1	12	10	13	9	16	8	6
13	11	5	6	1	16	2	12	8	9	3	14	15	4	10	7
7	9	12	4	14	8	10	13	16	15	6	11	1	3	2	5
10	1	16	8	15	3	9	6	4	7	5	2	11	13	14	12
2	16	8	7	9	5	4	11	10	3	1	15	12	14	6	13
12	14	15	3	13	10	16	2	5	4	9	6	7	8	11	1
1	10	4	11	7	6	15	8	2	14	13	12	5	9	16	3
6	5	9	13	3	14	12	1	11	16	8	7	10	2	15	4
11	3	10	16	5	9	8	7	13	2	4	1	6	15	12	14
14	8	13	1	16	15	6	10	9	11	12	3	4	7	5	2
9	7	2	5	12	13	1	4	15	6	14	8	16	11	3	10
15	4	6	12	11	2	3	14	7	5	16	10	8	1	13	9
4	13	3	14	10	1	5	9	12	8	11	16	2	6	7	15
8	12	7	2	6	4	14	16	3	10	15	9	13	5	1	11
16	15	11	9	2	12	13	3	6	1	7	5	14	10	4	8
5	6	1	10	8	7	11	15	14	13	2	4	3	12	9	16